LE MONDE
DE
MARCEL PROUST

DANS LA MÊME COLLECTION

1. HISTOIRE DE LA MODE, par Jacques Wilhelm.
2. LOUIS XIV A VERSAILLES, par André Maurois, de l'Académie française.
3. DÉSERT VIVANT, par Walt Disney.
4. GRANDE PRAIRIE, par Walt Disney.
5. PLAISIRS DES JARDINS, par Jacqueline de Chimay.
6. CONTINENT PERDU, par Leonardo Bonzi.
7. LES RECETTES DE MAPIE, par la comtesse de Toulouse-Lautrec.
8. PARURES AFRICAINES, par Evrard de Rouvre.
9. LES IMPRESSIONNISTES, par Claude Roger-Marx.
10. L'EMPIRE DU SOLEIL, par Evrard de Rouvre.
11. LA VIE QUOTIDIENNE EN 1830, par Robert Burnand.
12. LE MONDE DU SILENCE, par Jacques-Yves Cousteau.
13. LES CHIENS, par Jacqueline de Chimay.
14. LES OISEAUX, par Jean Dorst.
15. NAPOLÉON, par Louis Madelin, de l'Académie française.
16. GRAND PARADIS, par Samivel.
17. POLE SUD, par Paul-Émile Victor.
18. LES OISEAUX AQUATIQUES, par Walt Disney.
19. LES MONTAGNES DE LA LUNE, par Bernard Pierre.
20. NEIGE ET ROC, par Gaston Rébuffat.
21. LES RENDEZ-VOUS DU DIABLE, par Haroun Tazieff.
22. LES AUTOMATES, par Éliane Maingot.
23. LA MURAILLE DE CHINE, par Leonardo Bonzi.
24. STORMY, par Walt Disney.
25. LA VIE QUOTIDIENNE DES AZTÈQUES A LA VEILLE DE LA CONQUÊTE ESPAGNOLE, par Jacques Soustelle.
26. GRANDS SANCTUAIRES, par Evrard de Rouvre.
27. PLAISIRS DE LA CHASSE, par Jacqueline de Chimay.
28. LES CHATS, par Elian-J. Finbert.
29. INDE, PÉNINSULE DES DIEUX, par Joseph Kessel.
30. HISTOIRE DE FRANCE, par Pierre Gaxotte, de l'Académie française.

Gravure de couverture :
MARCEL PROUST
par Jacques-Émile Blanche

MADAME ADRIEN PROUST NÉE JEANNE WEIL.
(Collection Mme Gérard Mante.)

ANDRÉ MAUROIS
de l'Académie française

LE MONDE DE MARCEL PROUST

Documentation photographique
MARIE-THÉRÈSE MAY

HACHETTE

L'église d'Illiers.

LES SIENS

Au commencement était Illiers, petite ville voisine de Chartres, aux confins de la Beauce et du Perche, siège provisoire et personnel du Paradis Terrestre. Là vivait depuis des siècles une bonne et ancienne famille du pays, les Proust, solidement enracinée dans ce terroir. Un enfant qui passait ses vacances à Illiers y trouvait l'antique bourgade française, la vieille église encapuchonnée sous son clocher, le riche parler des provinces, un code mystérieux de manières, et les vertus des « Français de Saint-André-des-Champs » dont les faces, sculptées au Moyen Age sur les porches et chapiteaux, apparaissent encore, toutes semblables, sur le pas des boutiques, sur les marchés et dans les champs.

Les Proust d'Illiers avaient, au cours des âges, connu des fortunes diverses. L'un d'eux, en 1633, était devenu receveur de la Seigneurie, moyennant la somme de dix mille cinq cents livres tournois, qu'il devait payer chaque année au marquis d'Illiers, et la servitude de « fournir un cierge par chaque an en l'église Notre-Dame de Chartres, aux jours et fêtes de Notre-Dame de la Chandeleur ». Ses descendants avaient été les uns marchands, les autres cultivateurs, mais toujours la famille avait gardé un lien avec l'Église et, au début du XIXe siècle, un Proust,

◀ *Robert et Marcel Proust.*

Le Loir à Illiers qui deviendra la Vivonne de Combray.

grand-père du nôtre, était fabricant de chandelles et de cierges à Illiers. On y voit encore, dans l'ancienne rue du Cheval-Blanc, la porte de la maison où est né le père de Marcel Proust, demeure rustique et rude, dont les marches de grès sous voûte semblent « comme un défilé pratiqué par un tailleur d'images gothiques à même la pierre où il eût sculpté une crèche ou un calvaire ».

Là naquirent deux enfants, un fils, Adrien, et une fille qui épousa Jules Amiot, commerçant le plus important d'Illiers. M. Amiot possédait sur la place un magasin de nouveautés « où l'on entrait avant la messe, dans une bonne odeur de toile écrue ». La tante Amiot devait, après de longues incantations, se transformer plus tard, pour son neveu et pour le monde entier, en tante Léonie. Sa demeure, très simple, située dans la rue du Saint-Esprit, a comme dans le roman deux entrées : la porte de devant, par où Françoise allait à l'épicerie de Camus et en face de laquelle était la maison de Mme Goupil qui, avec sa robe de soie, « se faisait saucer » en allant à vêpres; et la porte de derrière, celle du minuscule jardin où le soir, assis devant la maison sous le grand marronnier, les Proust et les Amiot entendaient, soit le grelot profond, ferrugineux et criard, des familiers qui « entraient sans sonner », soit le double tintement timide, ovale et doré, de la clochette pour les étrangers.

Adrien Proust, père de notre Proust, fut le premier de son sang à quitter la Beauce. Son père, le fabricant de cierges, le destinait à la prêtrise. Il fut boursier au collège de Chartres, mais renonça vite au séminaire et, sans perdre la foi, choisit de faire des études médicales. Il les poursuivit à Paris, devint interne des hôpitaux, puis chef de clinique. C'était un homme beau, majestueux et bon. En 1870, il

AQUARELLE DITE “ LA MAISON DE TANTE LÉONIE ” PAR VAN DONGEN.
(Collection Mme Gérard Mante.)

Jeanne Weil, la mère de Marcel.

rencontra une jeune fille aux traits fins, aux yeux de velours, Jeanne Weil, l'aima et l'épousa.

Jeanne Weil appartenait à une famille juive, d'origine lorraine et de solide fortune. Son père, Nathée Weil, était agent de change; son oncle, Louis Weil, vieux célibataire, possédait à Auteuil, rue La Fontaine, une grande maison avec jardin, en ce temps-là villa de banlieue, où la nièce se réfugia pour accoucher, le 10 juillet 1871, de son fils aîné : Marcel. La grossesse de Mme Proust avait été, pendant le siège de Paris et la Commune, difficile. C'est la raison pour laquelle elle s'était installée chez son oncle, « au village d'Auteuil ». Marcel Proust garda toute sa vie des liens étroits avec la famille de sa mère. Aussi longtemps que sa santé le lui permit, il alla, chaque année, sur la tombe de son aïeul Weil. « Il n'y a plus personne, écrivit-il mélancoliquement vers la fin de sa vie, pas même moi puisque je ne puis me lever, qui aille visiter, le long de la rue du Repos, le petit cimetière juif où mon grand-père, suivant le rite qu'il n'avait jamais compris, allait tous les ans poser un caillou sur la tombe de ses parents.... »

Le jardin de Mme Jules Amiot, qui deviendra « tante Léonie ».

Une telle dualité d'origine engendre souvent, au départ, un naturel agnosticisme. Bien que Marcel Proust ait été élevé dans la religion catholique, et que l'on puisse définir toute son œuvre comme un long effort pour atteindre à une forme particulière de mysticisme, il ne semble pas qu'il ait jamais eu la foi. L'un des rares textes où il ait accordé quelque crédit à l'idée de l'immortalité de l'âme, c'est la mort de Bergotte, qui se termine par une interrogation et non par une affirmation.

Mais si Proust n'a pas été de ceux qui, comme dit Mauriac, savent que c'est vrai, il a montré dès l'enfance un sens très vif de la beauté des églises et de la poésie des cérémonies religieuses. Avec son frère Robert, il allait, dans l'église d'Illiers, placer des aubépines sur l'autel de la Vierge, et ce fut là le début de son grand amour pour « l'arbuste catholique et délicieux ». Il ne put jamais, plus tard, voir des buissons de ces fleurs coquettes et pieuses sans sentir flotter autour de lui « une atmosphère d'ancien mois de Marie, d'après-midi du dimanche, de croyances, d'erreurs oubliées... ». Sa mère avait refusé de se convertir et demeura toute sa vie attachée, avec obstination et fierté, sinon à la religion, du moins à la tradition juive, mais son père était un catholique pratiquant et Marcel fut, toute sa vie, conscient des vertus du christianisme. S'il blâmait l'antisémitisme de certains prêtres lecteurs de *La Libre Parole*, il ne détestait pas moins l'anticléricalisme.

En 1904, au moment de la Séparation, il écrivit plusieurs beaux articles pour défendre « les églises assassinées », et sa mère l'approuva.

Le milieu où vécut Proust enfant fut donc essentiellement « un milieu civilisé ». Non pas seulement petite bourgeoisie par Illiers et grande bourgeoisie par la réussite de ses parents, ce qui ne signifie rien et s'allie, en d'autres familles, à une redoutable vulgarité, mais « sorte d'aristocratie spontanée, sans titres..., où toutes les ambitions sociales sont légitimes grâce à toutes les habitudes de la meilleure tradition ». Le docteur Adrien Proust apportait le sérieux, l'esprit scientifique dont Marcel allait hériter; la mère ajoutait l'amour des lettres, un humour délicat, et c'est elle qui a formé, la première, l'esprit et le goût de son fils.

Le Pré Catelan, petit parc ainsi baptisé par l'oncle Amiot auquel il appartenait.

La plage de Cabourg où Marcel passait une partie de l'été avec sa grand-mère.
(Photo Neurdein.)

DÉCORS

L'ENFANCE de Proust se passe dans quatre décors qui, transposés et transfigurés par son art, nous sont devenus familiers. Le premier, c'est Paris, où il vivait chez ses parents, dans une maison bourgeoise et cossue, 9, boulevard Malesherbes. L'après-midi, on le conduisait aux Champs-Élysées où, à côté des chevaux de bois et des massifs de lauriers, au-delà « de la frontière que gardent à intervalles égaux les bastions des marchandes de sucre d'orge », il jouait avec une bande de petites filles qui allaient, ensemble, devenir Gilberte. C'étaient Marie et Nelly de Benardaky, Gabrielle Schwartz et Jeanne Pouquet (plus tard, bien plus tard, princesse Radziwill, comtesse de Contades, Mme L.-L. Klotz et Mme Gaston de Caillavet).

Le second décor, c'est Illiers, où la famille passait ses vacances chez la tante Amiot, au numéro 4 de la rue du Saint-Esprit. Quelle joie, dès la descente du train, que de courir jusqu'au Loir, de revoir, suivant la saison, les aubépines ou les boutons d'or de Pâques, les coquelicots et les blés de l'été, et toujours la vieille église, avec son capuchon d'ardoises ponctué de corbeaux, bergère qui gardait un troupeau de

◀ *Marcel Proust (au centre) avec des amis au parc Monceau en mai 1886.*

L'oncle Jules Amiot, mari de " tante Léonie ", au Pré Catelan à Illiers.

maisons. Qu'il se plaisait dans sa chambre, où de hautes courtines blanches dérobaient aux regards le lit, la courtepointe à fleurs, les couvre-lits brodés. Il aimait à retrouver, à côté du lit, la trinité du verre à dessins bleus, du sucrier et de la carafe; sur la cheminée, la cloche de verre sous laquelle bavardait la pendule; au mur, une image du Sauveur, un buis bénit. Surtout il goûtait les longues journées de lecture qu'il passait au « Pré Catelan », petit parc ainsi baptisé par l'oncle Amiot auquel il appartenait, jardin situé sur l'autre rive du Loir, bordé par la plus belle haie d'aubépines et au fond duquel, dans une charmille qui existe encore, Marcel jouissait d'un silence profond, coupé seulement par le son d'or des cloches. Là il lisait George Sand, Victor Hugo, Charles Dickens, George Eliot et Balzac. « Il n'y a peut-être pas de jours de notre enfance que nous ayons si pleinement vécus que ceux que nous avons cru laisser sans les vivre, ceux que nous avons passés avec un livre préféré.... »

Les deux derniers décors étaient accessoires. Il y avait la maison de l'oncle Weil, à Auteuil, où « les Parisiens » se réfugiaient par les jours de chaleur, et qui a fourni, elle aussi, des éléments pour le jardin de Combray. Louis Weil était un vieux célibataire, dont le libertinage impénitent choquait la famille conformiste de Marcel et chez lequel celui-ci rencontrait parfois de jolies femmes qui caressaient l'enfant, Laure Hayman par exemple, demi-mondaine élégante qui descendait d'un peintre anglais, maître de Gainsborough, et contenait quelques-unes des cellules initiales d'Odette de Crécy.

Enfin, pendant une partie de l'été, Marcel Proust était envoyé avec sa grand-mère sur une des plages de la Manche, Trouville ou Dieppe, plus tard Cabourg. Ainsi naquit Balbec. Dans l'album de Mme Adrien Proust, on lit : « *Lettre de mon petit Marcel. Cabourg, 9 septembre 1891 :* « Quelle différence avec ces années de mer où Grand-Mère et moi, fondus ensemble, nous allions contre le vent, en causant !... » Fondus ensemble.... Jamais garçon ne fut plus *fondu* avec une famille dévotieusement aimée.

On peut prendre plaisir à se rendre en pèlerinage sur les lieux qui servirent de cadres ou de modèles aux chefs-d'œuvre, à chercher dans Saumur ou Guérande ce qu'y vit Balzac, à Combourg les tristes soirées de famille qu'a gravées Chateaubriand, à Illiers les aubépines du mois de Marie et les roseaux de la Vivonne. Mais de telles confrontations, plutôt qu'elles ne nous restituent les tableaux merveilleux qu'avait créés la magie de l'écrivain, servent à nous montrer l'écart immense qui sépare le modèle de l'œuvre : « S'il était besoin de quelque chose pour prouver qu'il n'y a pas *un* univers, mais autant d'univers qu'il y a d'individus, qui sont tous différents,

Le château de Tansonville (Illiers), où habitera Gilberte après son mariage avec Robert de Saint-Loup.

qu'est-ce qui le prouverait mieux que ce fait que, si nous apercevons chez un collectionneur une grange, une église, une ferme, un arbre, nous nous disons : « Tiens ! « un Elstir ! » et reconnaissons ainsi pour autant de fragments de ce monde que voit Elstir et qu'il est seul à voir.... » Ainsi Proust avait vu des Proust dans tous les paysages de son enfance et, comme Renoir environnait toute chair de l'arc-en-ciel de sa palette, Marcel avait suspendu ses belles guirlandes d'adjectifs rares aux arbres de la Beauce comme à ceux des Champs-Élysées. Mais cette beauté demeure sienne, et ceux qui ne voient dans la nature que ce qu'elle est seront sans doute bien déçus s'ils cherchent à y retrouver le doux chatoiement et le velours des épithètes.

Marcel Proust vers 1885.

◀ *L'hôtel des Roches-Noires à Trouville, par Claude Monet.* (Photo Louis Laniepce.)

Il a dit lui-même combien il serait décevant de visiter des sites qui, aux lecteurs de Maeterlinck et d'Anna de Noailles, parurent délicieux : « Nous voudrions aller voir ce champ que Millet (car les peintres nous enseignent à la façon des poètes) nous montre dans son *Printemps ;* nous voudrions que Claude Monet nous conduisît à Giverny, au bord de la Seine, à ce coude de la rivière qu'il nous laisse à peine distinguer à travers la brume du matin. Or, en réalité, ce sont de simples hasards de relations ou de parenté qui, en leur donnant l'occasion de passer ou de séjourner auprès d'eux, ont fait choisir pour les peindre à Mme de Noailles, à Maeterlinck, à Millet, à Claude Monet, cette route, ce jardin, ce champ, ce coude de la rivière plutôt que tels autres.... » Le parc enchanté que décrit Proust et où il s'asseyait pour lire sous la charmille, introuvable, apercevant la porte blanche qui était « la fin du parc » et, au-delà, les champs de bleuets et de coquelicots, ce n'est pas seulement le Pré Catelan d'Illiers, non, ce jardin, nous l'avons tous connu et tous perdu, car il n'existait que par notre jeunesse et dans notre imagination.

La porte blanche qui était " la fin du parc "...

L'ÉTÉ AUX CHAMPS-ÉLYSÉES. *(Estampe Carnavalet.)*

La sortie du lycée Condorcet, par Jean Béraud. (Photo Bulloz. Carnavalet.)

ENFANCES

MALGRÉ sa mauvaise santé et ses crises d'asthme, Marcel Proust fit des études normales, et même excellentes, au lycée Condorcet, où les lettres étaient en honneur, non point à la manière érudite et classique de Louis-le-Grand ou de Henri-IV, mais de manière moderne, précieuse et décadente. Alors se forma, étalée sur deux ou trois classes, une coterie de Condorcet, garçons de bonne bourgeoisie, tous férus de littérature : Daniel Halévy, Fernand Gregh, Marcel Proust, Jacques Bizet, Robert de Flers, Jacques Baignères, Robert Dreyfus, Louis de la Salle, Marcel Boulenger, Gabriel Trarieux. Condorcet, vers 1888, devint une sorte de cercle dont l'attrait était si puissant que certains élèves, et parmi eux

La classe de Philosophie de M. Darlu à Condorcet ▶ *(Marcel Proust est le premier à gauche au deuxième rang).*

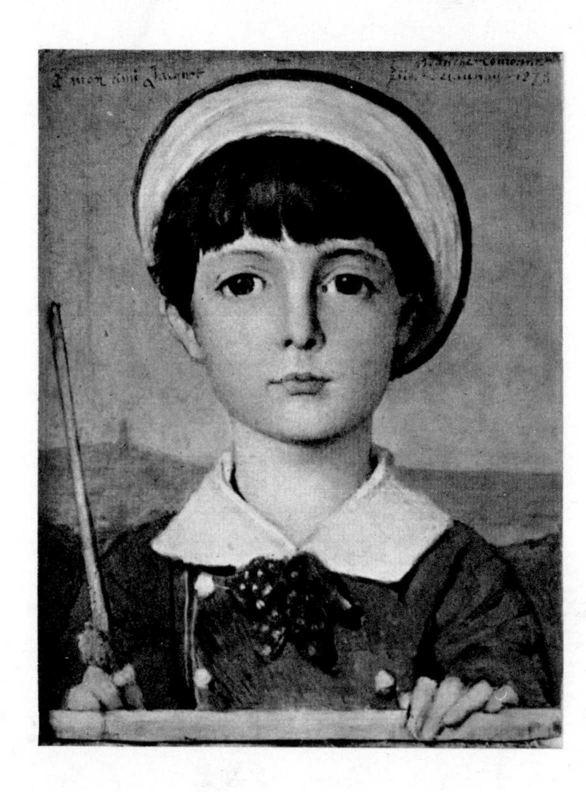

Jacques Bizet, un des plus anciens amis de Marcel Proust, en 1878.

Proust, arrivaient en avance pour se retrouver et discourir « sous les maigres ombrages des arbres ornant la Cour du Havre », en attendant le roulement de tambour « qui leur conseillait, plutôt qu'il ne leur imposait, d'entrer en classe ».

Que lisaient-ils ? Ce qui était alors la littérature « moderne » : Barrès, France, Lemaitre, Maeterlinck. Ils tenaient Léon Dierx et Leconte de Lisle pour des poètes difficiles, fermés aux générations plus anciennes. Marcel Proust partageait ces goûts et leur restera longtemps fidèle; ne pas admirer Maeterlinck sera l'un des ridicules de la duchesse de Guermantes. Mais depuis longtemps, grâce à sa mère, il connaissait les classiques, avec une particulière prédilection pour Saint-Simon, La Bruyère, Mme de Sévigné, Musset, George Sand, Baudelaire. Il était grand lecteur des *Mille et une Nuits* et, en traductions, de Dickens, de Thomas Hardy, de Stevenson, de George Eliot. « Deux pages du *Moulin sur la Floss* me font pleurer.... »

L'année de philosophie (1888-1889) fut pour lui celle de son plus grand enrichissement intellectuel. C'était le temps où, au matérialisme de Taine et de Berthelot, succédait « une manière d'immatérialisme immanent », le temps où Lagneau, pour Alain, commentait Platon et Spinoza en de belles leçons noires comme de l'encre, où Lachelier, Fouillée, Boutroux préparaient le terrain pour Bergson. Proust eut la chance d'avoir pour professeur Darlu («joli cerveau», prononçait Anatole France, et l'éloge eût paru réticent si Darlu n'avait porté sur France, à la lettre, le même

jugement). Ce Méridional chaleureux, sarcastique, éveilleur d'esprits, faisait, dit Fernand Gregh, comme un prestidigitateur, sortir toute la philosophie de son chapeau haut de forme, qu'il avait posé sur sa chaire et qu'il prenait toujours pour exemple quand il avait à choisir un objet pour sa démonstration.

« Conception d'un cerveau malade.... philosophie de Sganarelle », ainsi Darlu commentait une copie et celle même du premier de la classe. Mais il eut sur Proust une profonde et durable influence. Dans ses cours consacrés à la réalité du monde extérieur, il avait une manière poétique d'exposer le sujet qui permit plus tard à Proust « d'incorporer au roman tout un domaine et même un style qui n'appartenaient jusqu'alors qu'aux philosophes ». Plus tard, Proust lut Renouvier, Boutroux et Bergson, mais il tint toujours Darlu pour son maître et ce fut Darlu qui déclencha cette longue méditation sur l'irréalité du monde sensible, sur la mémoire et sur le temps, qui est la *Recherche du temps perdu*.

Si intimes que fussent la mère et le fils, leurs types de vie divergèrent vite. Mme Adrien Proust n'aimait pas le monde et d'ailleurs ne le connaissait guère. Les Proust d'Illiers n'avaient ajouté à sa famille israélite qu'une famille provinciale.

Mme Straus, à quarante-trois ans, restait belle, avec ses yeux bruns et chauds de tzigane.
(Portrait de J.-E. Delaunay) (Arch. photographiques.)

Le docteur Proust, qui devenait un des grands prêtres de la médecine officielle, rêvait de se présenter un jour à l'Académie des sciences morales et cultivait des amitiés utiles, mais sa femme le laissait très souvent sortir seul, et ses fils, les soirs de dîners solennels, le regardaient avec admiration mettre, sous sa cravate blanche, celle, rouge, de commandeur.

Marcel avait montré, dès l'adolescence, un goût du monde qui allait jusqu'au besoin. Quelques-uns de ses camarades de Condorcet : Jacques Baignères, Gaston de Caillavet, avaient des mères jeunes, qui recevaient. Il avait fait chez elles la connaissance de Madeleine Lemaire, dont l'atelier était alors un salon. Son ami Jacques Bizet l'avait présenté à sa mère, née Geneviève Halévy, fille de Fromental Halévy, le compositeur de *La Juive*, veuve de l'auteur de *Carmen*, et remariée avec un riche avocat, Émile Straus. Mme Straus, à quarante-trois ans, restait belle, avec ses yeux bruns et chauds de tzigane, « d'une grâce primitive, orientale, mélancolique ». Sans avoir une profonde culture, elle plaisait à Proust par son charme, par ses caprices, par ses « mots », par ses lettres qu'il comparait témérairement à celles de Mme de Sévigné.

A Mme Straus, le lycéen Marcel Proust faisait une cour respectueuse et symbolique. Il la couvrait de fleurs, au sens propre comme au sens figuré, puis la suppliait de ne pas croire qu'il l'aimât moins parce que, pendant quelques jours, il ne pouvait lui envoyer de chrysanthèmes : « Mais Mlle Lemaire pourra vous dire que je me promène chaque matin avec Laure Hayman, que je la remmène souvent déjeuner — et cela me coûte si cher que je n'ai plus un sou à fleurs — et, sauf dix sous de coquelicots à Mme Lemaire, je ne crois pas que j'en aie envoyé depuis à vous.... »

Il continua longtemps de lui prodiguer son obligeance hyperbolique : « Madame, si je pouvais faire n'importe quoi pour vous faire plaisir, aller porter pour vous une lettre à Stockholm ou à Naples, je ne sais pas quoi, cela me rendrait bien heureux.... »

L'avenue du Bois aux environs de 1900. (Documentation Hachette.)

Laure Hayman, "singulière courtisane, teintée de préciosité", raffolait du jeune Proust...

Laure Hayman, « singulière courtisane, teintée de préciosité », raffolait du jeune Proust, le traînait partout à sa suite et l'appelait « mon petit Marcel » ou « mon petit Saxe psychologique ». Quand Paul Bourget fit d'elle l'héroïne de *Gladys Harvey*, elle donna le livre à Marcel, relié dans la soie brochée à fleurs d'un de ses jupons.

Qu'il devait être alors un étrange garçon ! Comme le Narrateur de son livre, il semble n'avoir pas eu d'âge précis. Enfant? Adolescent? On ne savait. « Il y avait en lui bien plus du lycéen qu'il avait à peine cessé d'être que du dandy qu'il voulait devenir. Marcel avait été très potache de Condorcet, avec sa fleur à la boutonnière, ses « cols cassés ». Plus tard, il eut des cravates vert d'eau, nouées au hasard, des pantalons tire-bouchonnants, la redingote flottante. Sa canne de jonc, il la tordait en ramassant celui de ses gants gris de perle à baguette noire, froissés, salis, qu'il laissait choir en enfilant ou en ôtant l'autre. De ces gants dépareillés, partout oubliés, Marcel vous priait de lui renvoyer le manquant sous enveloppe, en échange d'une autre paire, ou d'une demi-douzaine d'autres paires, qu'il vous offrait en témoignage de reconnaissance pour l'avoir retrouvé. De même pour ses parapluies, semés dans les fiacres et les antichambres; les plus délabrés, si vous les lui rendiez sur sa prière instante, il continuait de s'en servir, mais vous en achetait un neuf chez Verdier. Et ses chapeaux hauts de forme devenaient des hérissons, des skye-terriers, à force d'être brossés à rebours, frottés aux jupes et aux fourrures dans les landaus et les trois-quarts de chez Binder.... »

Dans le portrait peint par Blanche, nous le voyons avec une tête un peu trop grande, des yeux admirables, « œil tout en liqueur brune et dorée..., obsédant regard où la tristesse acquise par la somme des choses baignait dans une fringante malice, où l'indifférence, qu'il voulait soudain totale, prenait l'éclat doré de la ferveur, de la rêverie, des projets infinis »; cheveux noirs abondants, toujours indisciplinés; une cravate un peu trop claire, une orchidée à la boutonnière, un mélange de dandysme et de mollesse qui évoque, de manière fugitive, Oscar Wilde. « Prince napolitain pour roman de Bourget », dit Gregh.

L'avenue de l'Opéra en 1893. (Photo M. Rigal.)

RENCONTRES

Il entra au régiment, par devancement d'appel, en 1889, afin de profiter encore du « volontariat », régime dont c'était la dernière année et qui permettait à ceux qui en bénéficiaient de ne faire qu'un an de service militaire. Il fut envoyé à Orléans, au 76e régiment d'infanterie, et, grâce à un colonel « intelligent », c'est-à-dire sensible au prestige civil et accessible aux recommandations, ne souffrit pas trop de la disparate entre la caserne et la famille. Un portrait assez pitoyable le montre, fantassin mal vêtu, dans une capote flottante, les beaux yeux de prince persan ensevelis sous la visière d'un képi en pot de fleurs. A Robert de Billy, futur ambassadeur, qui était alors artilleur à Orléans, la démarche de Proust et son langage parurent aussi peu militaires que possible : « Il avait de grands yeux interrogateurs et ses phrases étaient aimables et souples. Il me parla de M. Darlu, son professeur de philosophie à Condorcet, et les nobles pensées qui s'échangeaient dans ce lycée de la rive droite paraissaient à l'ex-taupin du Bazar Louis que j'étais une nouveauté probablement méprisable, mais, qui sait, peut-être sublime.... » Admis au peloton d'instruction, Proust y fut classé soixante-troisième sur soixante-quatre. Le bon élève n'était pas un brillant soldat.

Anatole France dans son cabinet de travail.
(Collection L'Illustration.)

Le dimanche, il passait « sa permission » à Paris, où il était heureux de retrouver ses amis. Souvent il allait, ce jour-là, chez Mme Arman de Caillavet, maîtresse de maison dominatrice, Égérie d'Anatole France, dont le fils, Gaston, était devenu l'un des meilleurs amis de Marcel et poussait la « gentillesse » jusqu'à le reconduire, chaque dimanche soir, au train d'Orléans. *Marcel Proust à Jeanne Pouquet :* « Si vous songez qu'à ce moment-là le taxi n'existait pas, vous serez stupéfaite de penser que, tous les dimanches soir où je retournais à Orléans par le train de 7 h 40, il vint chaque fois me conduire en voiture au train.... et il lui arriva même de venir à Orléans !... Mon amitié pour Gaston était immense; je ne parlais que de lui à la caserne, où mon brosseur, le caporal, etc., voyaient en lui une sorte de divinité, de sorte qu'au Jour de l'An ils lui envoyèrent en hommage une adresse !... »

Ce fut chez Mme de Caillavet que Proust connut Anatole France, dont il admirait le style et qui devait lui apporter de nombreux éléments pour le personnage de Bergotte. Il s'était représenté France comme un « doux chantre aux che-

Mme Arman de Caillavet, en 1893, année où elle fit la connaissance d'Anatole France.

Jean Béraud 1889

LE BOULEVARD DES CAPUCINES ET LE THÉATRE DU VAUDEVILLE EN 1889, PAR JEAN BÉRAUD. *(Carnavalet.)*

En 1889, Marcel Proust fut envoyé à Orléans, au 76e régiment d'infanterie, faire son volontariat.

veux blancs »; en voyant devant lui un homme au nez « en forme de coquille de colimaçon », à la barbiche noire, et qui bégayait un peu, il fut déçu. Le France qu'il avait « élaboré goutte à goutte, comme une stalactite, avec la transparente beauté de ses livres, se trouvait n'être d'aucun usage du moment qu'il fallait conserver le nez en colimaçon et la barbiche noire ». Nez et barbiche « le forçaient à réédifier le personnage »; il se sentit navré d'être obligé d'y attacher, « comme après un ballon, cet homme à barbiche », sans savoir s'il garderait la force de s'élever.

« Vous qui aimez tant les choses de l'intelligence..., lui disait France.

— Je n'aime pas du tout les choses de l'intelligence; je n'aime que la vie et le mouvement », répondait Proust.

Il était sincère; l'intelligence lui était si naturelle qu'il n'en estimait guère les jeux, tandis qu'il enviait et admirait la grâce des êtres d'instinct.

Lorsqu'il sortit du régiment, son désir eût été de continuer ses études. Il n'avait, depuis l'enfance, qu'une vocation : écrire, et, dès ce moment, concevait la discipline de l'écrivain comme exigeante et exclusive. Mais il adorait ses parents et ne voulait pas les contrarier. Le docteur Proust aurait souhaité le voir entrer dans la diplomatie.

Puisque le respect filial le condamnait à perdre son temps, et que la route des ambassades passait

Robert de Billy, futur ambassadeur, était alors artilleur à Orléans où il fit la connaissance de Marcel Proust, chez M. Bœgner, préfet du Loiret, père du pasteur Bœgner.

par l'École des sciences politiques, il y entra. Là il retrouva Robert de Billy, Gabriel Trarieux et, avec eux, écouta les leçons d'Albert Sorel, d'Albert Vandal, de Leroy-Beaulieu. Il écoutait avec attention, ne prenait pas de notes et écrivait sur un cahier jusqu'alors vierge :

Vandal, exquis, répand son sel,
Mais qui s'en fout, c'est Gabriel,
Robert, Jean et même Marcel,
Pourtant si grave d'habitude.

Si grave ? Oui, certes, mais frivole aussi, et cela n'est pas contradictoire. « La frivolité est un état violent. » Il aimait à rejoindre dans un tennis de Neuilly, boulevard Bineau, Gaston de Caillavet et ses amis. Sa fragilité ne lui permettait pas de jouer, mais sa conversation attirait autour de lui, sous les arbres, un cercle de jeunes filles et de mères encore jeunes. Chargé du goûter, il arrivait toujours avec une grande boîte pleine de friandises. Quand il faisait chaud, on l'obligeait à aller chez un mastroquet voisin, chercher de la bière et de la limonade, qu'il rapportait en gémissant, dans un affreux panier emprunté au restaurateur. Parfois une balle tombait au milieu des petits fours, faisant tressauter verres et demoiselles. Marcel accusait toujours les joueurs de l'avoir lancée « par malice et sans cause ». Peut-être y en avait-il une dont les coupables eux-mêmes n'avaient pas conscience : le charme de Marcel, sa sensibilité, sa verve agaçaient souvent ses camarades; ils en étaient un peu jaloux et, sans intention mauvaise ni même bien définie, n'étaient pas fâchés de troubler « la cour d'Amour ». C'est ainsi qu'ils appelaient, quand ils étaient en veine poétique, « le rond des bavards ». La partie terminée, les joueurs venaient se reposer à l'ombre des jeunes filles en fleurs, pour goûter comme elles les bavardages de Marcel. Bien des années après, à propos d'un livre en préparation, ces souvenirs lui reviendront en la mémoire et il écrira à Jeanne Pouquet (alors mariée avec Gaston de Caillavet) : « Vous y verrez amalgamé quelque chose de cette émotion que j'avais quand je me demandais si vous seriez au tennis. Mais à quoi bon rappeler des choses au sujet desquelles vous avez pris l'absurde et méchant parti de faire semblant de ne vous en être jamais aperçue ?... »

Il poursuivait ses études, sans y mettre beaucoup d'ardeur. Le professeur Proust et sa femme étaient des parents trop affectueux pour exercer sur leur fils une contrainte durable. Ils furent « dans le marasme » quand Marcel, qui s'était inscrit à la Faculté de droit pour y faire une licence, échoua à la deuxième moitié de ses examens.

Enfin ses parents l'autorisèrent à suivre, sans but défini, des cours en Sorbonne,

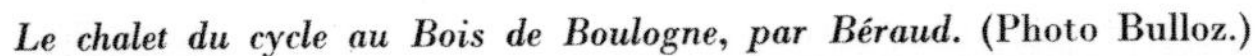

Le chalet du cycle au Bois de Boulogne, par Béraud. (Photo Bulloz.)

Gaston de Caillavet en uniforme d'artilleur en 1897.

comme il le souhaitait. Ce fut là qu'il eut pour maître Henri Bergson qui, en 1891, par un mariage avec Mlle Neuburger, était devenu son cousin et qui, comme Darlu, croyait à la nécessaire alliance de la poésie et de la philosophie.

En apparence, les quatre ou cinq années qui suivirent le service militaire furent encore, pour Marcel, des années perdues; en fait, il récoltait son miel et remplissait ses rayons de personnages et d'impressions. Autour de lui, vie littéraire et vie politique faisaient naître les écoles et les partis; naturalisme et symbolisme se disputaient la génération montante; Marcel Proust, lui, ne s'intéressait guère aux doctrines. Comme il avait, à Illiers, fait provision d'images naturelles, il essayait, à Paris, d'analyser et de s'ajouter les œuvres d'art. Par quelques amis, il se faisait initier à la peinture et c'étaient de longues promenades au Louvre; par d'autres, à la musique. Tous lui reprochaient de montrer un goût trop vif pour le Faubourg Saint-Germain. C'était en partie, dit Gregh, parce que le Faubourg lui semblait un royaume inaccessible. Pourquoi a-t-il pris plus tard tant de plaisir à peindre l'éclatante carrière mondaine d'un Swann ? Parce qu'elle ressemblait à la sienne et parce que, dans l'un et l'autre cas, les prestiges du goût et de l'intelligence avaient vaincu des préjugés hostiles. Il est vrai qu'il écrivit un jour à Paul Souday qu'il avait dû faire un effort, lui qui avait toujours vécu dans ce monde, pour se mettre

Le philosophe Henri Bergson, qui était devenu, par son mariage en 1891, le cousin de Marcel Proust.

Marcel Proust (en canotier) au cours d'un déjeuner à la campagne, à droite de Proust : Grosclaude, devant Mme Achille Fould, debout à droite Louis Ganderax, assis devant le professeur A. Proust.

Yachting dans l'Archipel, par Gervex. (Salon de 1899.)

à la place d'un Narrateur qui ne connaîtrait pas de duchesses et souhaiterait en connaître, mais c'est un des rares cas où il se soit montré, consciemment ou non, inexact. Sa conquête du monde commença tôt, cela est vrai; elle fut pourtant une conquête et exigea des campagnes.

A Paris, les courses, par Hochard. (Salon de 1902.)

RELATIONS

A L'ORIGINE on trouve les hôtesses de son adolescence : Mme Straus, Mme Henri Baignères, sa belle-sœur Mme Arthur Baignères (dite « la Tour qui n'a pas pris garde »), Mme Arman de Caillavet et aussi Madeleine Lemaire, aquarelliste « qui avait créé le plus de roses après Dieu », dans le salon de laquelle Proust connut la princesse Mathilde et aperçut, pour la première fois, la comtesse Greffulhe et Mme de Chevigné, ses futurs modèles. Ce fut là qu'il se lia intimement avec le musicien Reynaldo Hahn, « qui avait un excès de tous les mérites et un génie de tous les charmes ». De trois ans plus jeune que Marcel, né au Venezuela, mais de culture toute française, Reynaldo montrait un talent précoce, un goût exquis et une intelligence curieusement universelle. Qu'il se mît au piano pour jouer et chanter, ou qu'il parlât des livres et des gens, ses improvisations avaient quelque chose de tendre et d'ailé qui était inimitable. « J'aime comme vous chantez, lui

La comtesse Greffuhle, en qui Marcel Proust entrevit la future princesse de Guermantes. (Tableau de Lazlo.) (Collection du duc de Gramont, photo Hachette.)

avait dit un jour Pauline Viardot, oui, c'est simple, c'est bien.... » Ses amis aimaient aussi comme il contait.

Par leurs exigeantes et profondes cultures, par leur commune horreur de l'emphase et par la gravité douloureuse de leurs feintes frivolités, Marcel Proust et Reynaldo Hahn étaient faits pour s'entendre. Ce fut surtout Reynaldo qui aida Marcel à comprendre la musique et assembla pour lui les éléments épars dont allait naître la « petite phrase » de Vinteuil. Amis passionnés, ils lisaient ensemble de grands livres : Marc-Aurèle, les *Mémoires d'Outre-Tombe*, et admiraient la noblesse qui en émane.

Marcel estimait le sens inné qu'avait Reynaldo de la beauté littéraire; Reynaldo louait Marcel d'avoir senti que, dans l'*Invitation au Voyage* de Duparc, la musique qui souligne : « *Mon enfant, ma sœur* » a l'air d'un pléonasme. Ils avaient le même amour de la nature et le même pessimisme mélancolique. Sur une parfaite communauté de goûts s'édifia une amitié qui les fit longtemps inséparables.

En 1893, chez Madeleine Lemaire, Proust rencontra le comte Robert de Montesquiou, gentilhomme poète (alors âgé de trente-huit ans), dont « tant de disciples copiaient le port

Reynaldo Hahn en 1898. (Arch. photographiques.)

VUE DE L'AVENUE DES CHAMPS-ÉLYSÉES, PAR J. BÉRAUD.
(Arts décoratifs.)

La comtesse Adhéaume de Chevigné, qui inspira à Marcel Proust le portrait de la duchesse de Guermantes.

de tête et les rengorgements.... et qui séduisait par ses hauteurs mêmes ». Esthète « absurde et fascinant, moitié mousquetaire et moitié prélat », qui passait pour avoir inspiré à Huysmans son des Esseintes, Montesquiou donnait, par ses vers comme par ses bibelots, dans tous les contournements du style fin de siècle : « Ses mains admirablement bien gantées décrivaient de beaux gestes, et il courbait harmonieusement ses poignets.... Parfois il enlevait ses gants et dressait sa main précieuse vers les cieux. Une seule bague, à la fois simple et étrange, ornait son doigt.

« En même temps qu'il élevait la main, l'inflexion de la voix montait d'une façon stridente comme la trompette dans un orchestre ou retombait, plaintive et pleurante, pendant que le front se plissait et que les sourcils faisaient un accent circonflexe aigu.... »

Proust devina, dès la première rencontre, ce qu'il pouvait tirer d'un tel personnage, tant pour sa carrière mondaine que pour ses livres, et, tout de suite, il écrivit : « ....Votre très respectueux, fervent et charmé, Marcel Proust. » Il avait compris la soif d'admiration dont brûlait Montesquiou et l'étancha généreusement :

« Vous débordez largement le type du décadent exquis sous les traits duquel on vous peint....

« Le seul homme supérieur de

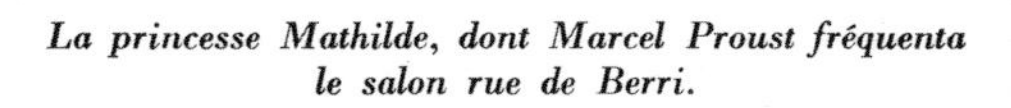

La princesse Mathilde, dont Marcel Proust fréquenta le salon rue de Berri.

votre monde.... Le plus grand critique d'art qu'il y ait eu depuis longtemps.... tantôt cornélien et tantôt hermétique....

« Votre âme est un jardin rare et choisi.... »

En retour, pour de si rares louanges, il demandait un appui : « Je vous demanderai de vouloir bien me montrer quelques-unes de ces amies au milieu desquelles on vous évoque le plus souvent : la comtesse Greffulhe, la princesse de Léon.... » La comtesse Greffulhe, née Caraman-Chimay, excitait singulièrement la curiosité de Marcel; Montesquiou le fit inviter à une fête où il entrevit en elle la future princesse de Guermantes : « Elle portait une coiffure d'une grâce polynésienne, et

Debout : prince Edmond de Polignac, princesse de Brancovan, Marcel Proust, prince Constantin de Brancovan, Léon Delafosse.
Au 2e rang : Mme de Montgenard, princesse de Polignac, comtesse Mathieu de Noailles.
Au 1er rang : princesse de Caraman-Chimay, Abel Hermant.

Robert de Montesquiou que Marcel Proust rencontrait chez Madeleine Lemaire. (Tableau de J. Boldini.) (Arch. photographiques.)

des orchidées mauves descendaient jusqu'à sa nuque, comme les « chapeaux de fleurs » dont parle M. Renan.

« Elle est difficile à juger, sans doute parce que juger c'est comparer et qu'aucun élément n'entre en elle qu'on ait pu voir chez aucun autre, ni même nulle part *ailleurs.* Mais tout le mystère de sa beauté est dans l'éclat, dans l'énigme surtout de ses yeux. Je n'ai jamais vu une femme aussi belle.... »

Le désir d'écrire continuait de le poindre. Les soirs où il faisait les « bouts de table », dans les maisons où on l'invitait pour son esprit, « les Brichot, les Saniette, les Norpois péroraient devant les garde-feu en bronze doré » de Mme Straus ou de Mme de Caillavet. Les « vedettes des dîners » s'appelaient alors Bourget, France, Brochard, Vogüé, Maupassant, Porto-Riche, Hervieu, Hermant, Vandérem. Marcel Proust les encensait et les mesurait. Eux, frappés par la pénétration de cette intelligence, regrettaient qu'il ne travaillât guère.

« Comment faites-vous, monsieur France, demandait Proust, comment faites-vous pour savoir tant de choses ?

— C'est bien simple, mon cher Marcel : quand j'avais votre âge, je n'étais pas joli comme vous; je ne plaisais guère; je n'allais pas dans le monde et je restais chez moi à lire, à lire sans relâche. »

Marcel ne lisait pas sans relâche, mais il écrivait déjà beaucoup. Quelques années plus tard, sous un titre modeste et mélancolique, *Les Plaisirs et les Jours*, il devait

Le balcon du Cercle de la rue Royale en 1867, par James Tissot. On reconnaît à droite Charles Haas, futur modèle de Swann. (Photo Galerie Charpentier, coll. Hottinguer.)

réunir les études, portraits, nouvelles, qu'il commençait alors à publier dans les revues littéraires à la mode. C'était un livre charmant, d'une grâce un peu surannée, d'une écriture parfois trop exquise, mais où l'on devait découvrir plus tard, comme enfermés dans une chrysalide, les grands thèmes de son œuvre. L'ouvrage était cher, l'auteur peu connu, la présentation trop luxueuse : *Les Plaisirs et les Jours* passèrent inaperçus.

Charles Haas vers l'âge de 25 ans.

Le Bal, par Jean Béraud. (Carnavalet, photo Bulloz.)

AMITIÉS

De 1892 à 1900, le comportement de Proust fut modifié par la maladie, mais de manière progressive et lente. Ses crises d'asthme croissaient en nombre et en intensité. Elles lui laissaient pourtant de longs répits qui lui permettaient de mener une existence presque normale; d'aller dans le monde; de faire des séjours à Auteuil chez son grand-oncle, à Trouville chez Mme Straus ou chez le banquier Hugo Finaly; à Évian-les-Bains; et même des voyages en province française, puis en Hollande, en Italie. Mais comme les crises étaient plus violentes le jour que la nuit, surtout en été, elles l'amenaient peu à peu à adopter des heures de travail et de réception qui n'étaient celles de personne.

Il habitait chez ses parents, au numéro 9, boulevard Malesherbes :

« .... une grande belle maison, dont les appartements avaient cette ampleur cossue des demeures de la bourgeoisie aisée, dans les années 1890-1900. L'impression que j'en ai gardée, et que je retrouve en fermant les yeux, est celle d'un intérieur assez obscur, bondé de meubles lourds, calfeutré de rideaux, étouffé de tapis, le tout noir et rouge, l'appartement type d'alors, qui n'était pas si éloigné que nous le croyons du sombre bric-à-brac balzacien.... »

Bien qu'il se fût, avec l'âge, empâté, le visage du docteur Proust, encadré d'une barbe grise et d'une moustache encore noire, restait noble comme celui des princes-marchands d'Holbein. Son second fils, Robert, lui ressemblait et faisait avec succès ses études de chirurgie. Marcel, lui, vivait en symbiose avec sa mère et demeurait à son égard dans la même étroite dépendance qu'un enfant. Leurs embrassades et leurs effusions avaient parfois, dans le docteur Proust, un témoin critique et désolé. Apaiser « Papa » avait toujours été l'un des grands soucis de Mme Adrien Proust et de Marcel. Leur douce complicité était de tous les instants. Quand Marcel ne pouvait dormir, il écrivait à sa mère des lettres qu'il laissait pour elle dans le vestibule, afin qu'elle les y trouvât le matin, alors qu'il reposerait enfin.

Les amitiés, de proche en proche, s'étendaient. En même temps que dans le monde-monde, Marcel, par de lents cheminements, progressait un peu dans le monde des lettres. C'était le temps de « cette belle renaissance naïve, massenétique et dumasfiste », qui allait de Sarcey et Gounod jusqu'à Daudet et Maupassant, puis à Bourget et Loti. Proust, qui avait dans son enfance aimé en Alphonse Daudet un Dickens français, l'avait rencontré chez Mme Arthur Baignères, puis était devenu, avec Reynaldo Hahn, assidu aux jeudis de la rue de Bellechasse. Les fils du romancier s'étaient attachés à lui, et surtout Lucien, le plus jeune, qui avait de l'humour le même sens aigu que Marcel et la même horreur des phrases qui « faisaient mal aux dents, qui faisaient loucher » et qu'ils appelaient tous deux des *louchonneries :* « *La grande bleue* ou *la Côte d'Azur* pour la Méditerranée, *Albion* pour l'Angleterre, *la verte Érin* pour l'Irlande, *nos petits soldats* pour l'armée française, *le rocher de Guernesey* pour l'exil, toute la chanson de la *Paimpolaise*, etc. »

Place de la Concorde, par de Nittis. (Photo Viollet.)

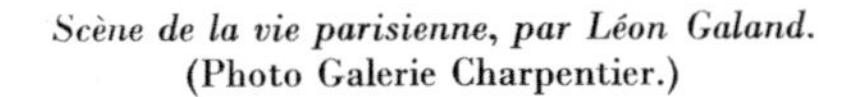

Scène de la vie parisienne, par Léon Galand.
(Photo Galerie Charpentier.)

Louchonnerie aussi, chez une personne qui ne savait pas l'anglais, de s'en aller en disant : « *Bye, bye* » avec désinvolture. Toute *louchonnerie* provoquait chez les deux amis un fou rire (que Marcel contenait derrière son gant, mais qui, devant des personnages susceptibles, devenait gênant). Étouffant de rire et courbés en deux, Lucien Daudet et Marcel Proust durent un jour s'enfuir sous l'œil sévère et soupçonneux de Montesquiou, qui ne pardonna jamais.

Lucien Daudet voyait bien les étrangetés de son ami, ses idées minutieuses, nébuleuses et folles sur l'élégance vestimentaire (« Fais bien vérifier ta tenue », écrivait Mme Adrien Proust. « Avant tout, plus de chevelure de roi franc.... »), mais démentait les exagérations de ceux qui, connaissant mal Proust, le décrivaient comme *toujours* affamé de mondanités, habillé *toujours* à contresens, avec des fragments d'ouate sortant de son col relevé par crainte du froid, *toujours* prodigue de flatteries hyperboliques, *toujours* distribuant des pourboires absurdes. Oui, il était vrai que parfois un peu d'ouate sortait de son col et que les amis alors la repoussaient en souriant et en disant : « Marcel ! » Il était vrai qu'un soir il avait emprunté cent francs au concierge du Ritz, puis ajouté doucement : « Gardez-les, c'était pour vous.... » Mais ceux qui l'aimaient ne faisaient guère attention à ces excentricités inoffensives. Ils admiraient « une délicatesse presque enfantine, une simplicité charmante, une distinction qui était vraiment visible, une noblesse de cœur », une politesse aussi empressée envers les humbles qu'à l'égard des superbes (adressant, par exemple, une lettre : « Monsieur le Concierge de Monsieur le Duc de Guiche »); une générosité qui lui imposait de choisir longuement, pour faire un présent, ce qui lui semblait le plus joli, le plus souhaité et qui venait de chez le meilleur fournisseur : « Des fleurs ou des fruits envoyés à une femme venaient de chez Lemaître ou de chez Charton, des compotes envoyées à un ami malade venaient de chez Tanrade, un mouchoir emprunté par lui un jour d'oubli était rendu entre deux sachets d'Houbigant. Le moindre cadeau de mariage nécessitait des jours de conversations et d'hésitations; il s'agissait de trouver l'objet qui correspondît exactement à la personnalité des fiancés et n'aurait pu convenir à d'autres.... » Quant aux pourboires excessifs, facette négligeable de sa générosité, sa prétendue ignorance

LA SOIRÉE, PAR J. BÉRAUD. *(Carnavalet.)*

Marcel Proust et Robert de Flers.

de la valeur de l'argent était, dit Lucien Daudet, une feinte pour faire croire qu'il était bon « sans le faire exprès » et plutôt par désordre. Ses grandes charités étaient cachées et, toute sa vie, il ne put entendre parler d'une infortune sans vouloir, tout de suite, contribuer à la secourir.

Jointes au charme de l'homme, ces qualités attiraient et retenaient des fidèles. Être son ami n'était pas facile, car « il était toujours plein de méfiance, et un certain mépris pour l'humanité, qui déjà l'avait envahi, et que le travail, la solitude relative allaient bientôt accroître dans de grandes proportions, l'empêchait quelquefois de faire la différence entre ceux qui étaient capables de mesquinerie et ceux qui en étaient incapables.... » Mais, quand il entrait en confiance, il touchait par des gaietés presque enfantines et par l'évidente noblesse de sa nature profonde. Ceux des familiers que Lucien Daudet rencontra le plus souvent boulevard Malesherbes furent Reynaldo Hahn, Robert de Billy, le peintre Frédéric de Madrazo (« Coco Madrazo ») et Robert de Flers. Les deux frères Proust, Marcel et Robert, étaient d'excellents camarades. Malgré des différences de caractère et bien que, dans les débats de la vie quotidienne, Robert fût plutôt du côté de son père, Marcel soutenu par sa mère, « la tendresse qu'ils avaient l'un pour l'autre faisait comprendre toute la force du terme *amour fraternel* ».

En 1895, pour satisfaire enfin le professeur Proust, qui souhaitait, depuis si longtemps, le voir choisir une profession, Marcel avait accepté de se présenter à un concours pour le poste d'« attaché non rétribué » à la bibliothèque Mazarine. Il y fut le plus détaché des attachés et alla de congé en congé. Pourtant Lucien Daudet vint parfois le chercher à l'Institut, pour se rendre avec lui au musée du Louvre ou à une matinée classique de la Comédie-Française. Marcel tenait à la main un pulvérisateur plein de quelque antiseptique et discourait devant les tableaux, expliquant à Lucien Daudet la beauté des couleurs de Fra Angelico, qu'il appelait « crémeuses et comestibles », ou la différence entre les deux *Philosophes* de Rembrandt. « Il était un grand critique d'art. Personne alors n'en savait rien. Tout ce qu'il découvrait

Un salon à Paris vers 1896. (Collection L'Illustration.)

dans un tableau, à la fois picturalement et intellectuellement, était merveilleux et transmissible; ce n'était pas une impression personnelle, arbitraire, c'était l'inoubliable vérité du tableau.... »

« .... Et puis il tombait en arrêt devant le monsieur au nez rouge et à la robe rouge, qui sourit à un enfant, et s'écriait : « Mais c'est le portrait vivant de M. du « Lau ! C'est une ressemblance incroyable !... Comme ce serait gentil si c'était « lui !... Ah ! mon petit », continuait-il avec un froncement des narines qui lui était particulier et cette bonne humeur de jeune animal qu'il montrait parfois, comme s'il avait eu des réserves inemployées de courses au grand air et de jeux, « c'est bien amusant de regarder de la peinture ! »

L'irréparable malheur de ce temps-là fut la mort de la grand-mère. Proust et sa mère avaient été unis dans leur admiration pour cette femme sublime et plus Sévigné que Sévigné. *Mme Adrien Proust à Marcel :* « Quelquefois je rencontre aussi, dans Mme de Sévigné, des pensées, des mots qui me font plaisir. Elle dit (en critiquant une sienne amie, vis-à-vis de son fils) : « Je connais une autre mère « qui ne se compte pour guère, qui est toute transmise à ses enfants. » N'est-ce pas bien appliqué à ta grand-mère ? Seulement, elle, elle ne l'eût pas dit.... »

La mort de sa mère avait produit, en Mme Adrien Proust, une subite et touchante transformation. « Ce n'est pas assez dire qu'elle avait perdu toute gaieté; fondue, figée en une sorte d'image implorante, elle semblait avoir peur d'offenser d'un son de voix trop haut la présence douloureuse qui ne la quittait pas.... » Soudain, elle était devenue semblable à la disparue, soit que son grand chagrin eût hâté une métamorphose et l'apparition d'un être que déjà elle portait en elle, soit que le regret eût agi comme une suggestion et amené sur ses traits des similitudes qui existaient en puissance. Sa mère morte, elle aurait eu scrupule à être autre que celle qu'elle avait tant admirée. Elle allait à Cabourg lire, sur la plage où sa mère s'était assise, les *Lettres* de Mme de Sévigné dans l'exemplaire que sa mère emportait toujours avec elle. Enveloppée de crêpe, elle s'avançait, « toute noire, à pas timides et pieux, sur le sable que des pieds chéris avaient foulé avant elle, et elle avait l'air d'aller à la recherche d'une morte que les flots devaient ramener... ». Mais, bien que son deuil fût sévère, elle ne l'exigeait pas des siens. Elle leur demandait seulement d'être fidèles à leurs sentiments vrais.

***

A quoi se passait sa vie ? D'abord à écrire des lettres, des lettres « insensées et féeriques », impérieuses, câlines, « interrogeantes, haletantes », ingénieuses, spirituelles, qui caressaient la vanité du destinataire, l'inquiétaient par l'ironie de

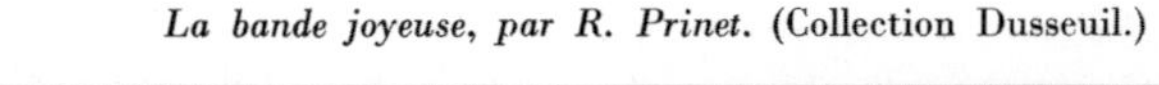

La bande joyeuse, par R. Prinet. (Collection Dusseuil.)

leurs hyperboles, le tourmentaient par leur méfiance et le charmaient par leur ton. Il fallait bien que le charme l'emportât sur l'inquiétude, car tous les gardaient, vingt ans avant le temps où il allait être célèbre, et l'on a vu sortir après sa mort, de tous les tiroirs de Paris, des trésors soigneusement enfouis.

Souvent ses lettres étaient des reproches. « Marcel Proust, c'est le Diable », avait dit un jour Alphonse Daudet, à cause de sa pénétration inquiétante et surhumaine des mobiles des autres. Il était un ami difficile : « Quelquefois on le blessait sans le vouloir, dit Lauris. Au fond, toute confiance dans les autres lui manquait. Il croyait voir en vous des réserves, des froideurs. Quels dessous il supposait !... » Les reproches arrivaient par lettre. On l'avait quitté à deux heures du matin et, au réveil, on trouvait sur le plateau du déjeuner une épaisse enveloppe, apportée par sa concierge, et une lettre où il analysait, avec une impitoyable lucidité, ce qu'on avait dit et ce qu'on avait tu. Sa vie de malade, ses « interminables nuits d'insomnie » favorisaient le travail de l'imagination sur les mobiles de ses propres actes, sur ceux de ses proches, de ses amis, et engendraient chez lui ce *génie du soupçon* signalé par tous ses familiers.

Dans le monde, il continuait à exercer son état de « généalogiste et d'entomologiste » de la société française. Au premier groupe d'amis s'étaient joints de nouveaux intimes. Le jeune duc de Guiche, homme du meilleur XVIIIe siècle, plus occupé d'optique et d'hydrostatique que de mondanités, l'avait connu « petit jeune homme obscur qui faisait les bouts de table chez Mme Straus ». Une autre cible pour ses éloges était la comtesse de Noailles, grand poète, beauté vive et brillante, esprit mordant et hardi, qui aima tout de suite « sa magnifique intelligence, sa tendresse suave et alarmée, ses dons inouïs ». Qui mieux que lui savait toujours trouver le nouveau recueil de poèmes supérieur au précédent et justifier cet enthousiasme accru par les raisons les plus fines ? Qui mieux que lui associait la femme aux triomphes du poète ?

Une promenade en automobile, par L. Sabattier.
(Collection L'Illustration.)

Lucien Daudet.

Vers la même époque, il rencontra Antoine Bibesco, prince roumain dont Marcel disait qu'il était « le plus intelligent des Français », et son frère, Emmanuel Bibesco. Ce furent des amitiés confidentielles, jalouses, avec un caractère de société secrète. Ils avaient un vocabulaire à eux. Les Bibesco, dans cette langue, étaient les *Ocsebib ;* Marcel, *Lecram ;* Bertrand de Fénelon, *Nolenef.* Un secret était « *un tombeau* ». *Faire la hyène* était violer un tombeau. Réunir des amis extérieurs au groupe était *opérer une conjonction.* Plus tard, les Bibesco opérèrent la conjonction de leur cousine Marthe, jeune femme aussi belle que son génie, avec Marcel. C'est elle qui a noté que, pour celui-ci, souvent prisonnier de ses maux, les Bibesco étaient, avec Reynaldo Hahn, les pourvoyeurs de rêves, les rabatteurs d'images.

Symboliquement, il habitait encore sa chambre d'enfant et travaillait, comme jadis, sur la table de la salle à manger. Comme son père, très occupé, partait le matin de bonne heure, Marcel pouvait rester au lit, il était bien sûr que sa mère ne le « secouerait » pas. Après le déjeuner seulement, il achevait de s'habiller, boutonnait ses bottines (ce qui était, pour lui, asthmatique, une opération curieusement difficile). Le soir, s'il était souffrant et ne sortait pas, on le trouvait dans la salle à manger, près d'un grand feu, devant la table recouverte d'un molleton rouge, écrivant dans des cahiers d'écolier, sous une lampe Carcel dont il aimait la lumière douce. A côté de lui, dans un fauteuil, Mme Proust était à demi endormie. Il y avait, en ce mode de vie, de l'infantilisme, mais rester un enfant, c'est devenir un poète.

Quand il était bien, il dînait dans le monde. Il était très invité parce qu'il avait de l'esprit, et ses imitations faisaient la joie des salons. « Il imitait le rire de Montesquiou et admirait celui de Mme Greffulhe qui, pareil au carillon de Bruges, lance ses notes d'une façon inattendue dans l'espace. Il contrefaisait Madeleine Lemaire reconduisant ses invités : « Madame de Maupeou, vous avez chanté « comme un ange, ce soir ! Cette Brandès est étonnante : elle a toujours vingt ans....

« Ce petit être est tellement *artissste* (en parlant de Madrazo).... Au revoir, Montes-
« quiou, cher grand, sublime poète.... Ochoa, n'attrapez pas froid!... » Puis elle disait : « Allons, viens, Suzette! » Et, en remontant, elle expliquait à ses chiens sa vraie pensée. »

Mais Marcel aimait surtout à donner, chez ses parents, des dîners un peu solennels où, « autour des azalées et des lilas blancs », il réunissait des prototypes de Saint-Loup, de Bloch, d'Oriane, mêlés à Bourget, Hervieu, Mme de Noailles, Anatole France, Calmette — « et Marcel en habit, le plastron de sa chemise cabossé, les cheveux un peu dérangés, respirant mal, ses magnifiques yeux brillants et cernés par l'insomnie, se dépensant en grâces juvéniles, s'épuisant à mettre en rapports courtois des invités disparates, condescendants ou adulateurs, qui, ne se connaissant point encore, s'observaient.... Souvent, comme il était inquiet (ou curieux) de l'effet que feraient ses invités les uns sur les autres, au cours du dîner, il transportait son assiette auprès de chacun des convives; il mangeait le potage près de l'un, le poisson (ou une moitié de poisson) à côté d'un autre, et ainsi de suite jusqu'à la fin du repas; il est à supposer qu'aux fruits il avait fait le tour. Témoignage d'amabilité, de bonne volonté vis-à-vis de tous, car il eût été désolé que quelqu'un songeât à se plaindre; et il pensait à la fois faire une politesse distincte et s'assurer avec sa perspicacité habituelle que l'atmosphère dégagée par chaque personne était favorable. Les résultats, d'ailleurs, étaient excellents et l'on ne s'ennuyait pas chez lui.... »

Dessin de Madeleine Lemaire, pour illustrer un dîner en ville, dans Les Plaisirs et les Jours.

Marcel Proust vers 1896.

QUERELLES

TEL était Marcel Proust aux environs de 1898. Le cordon ombilical n'était pas coupé et il continuait d'avoir besoin, pour vivre, de la nourriture sentimentale que lui apportait chaque jour la tendresse maternelle. Mais, bien que sa vie familiale fût infantile, il se conduisait de la manière la plus virile dans toutes les occasions qui requéraient du courage. « Je tenais de ma grand-mère, dit le Narrateur, qui se confond ici avec l'auteur, d'être dénué d'amour-propre à un degré qui ferait aisément manquer de dignité.... J'avais fini par apprendre de l'expérience de la vie qu'il était mal de sourire affectueusement quand quelqu'un se moquait de moi et de ne pas lui en vouloir.... La colère et la méchanceté ne me venaient que

Jean Lorrain, avec qui Marcel Proust se battit au pistolet en 1897.

de tout autre manière, par crises furieuses.... » Mais, à force d'entendre les plus estimés de ses camarades ne pas souffrir qu'on leur manquât, il avait fini par montrer dans ses paroles et ses actions une seconde nature qui était fière. Dans un restaurant, pour un geste, pour un regard, il se crêtait, et cela allait parfois jusqu'au duel.

« Je me souviens de notre silence autour d'une table chez Larue, un soir, tandis que, tranquillement et sa main si blanche posée sur la nappe n'ayant aucun frémissement, il recevait avec des insolences bien calculées, bien rédigées, quelqu'un qu'il soupçonnait de fort mal parler de lui et qui était venu lui serrer la main.... »

En 1897, insulté par Jean Lorrain dans un journal à propos de sa publication des *Plaisirs et les Jours*, il envoya deux amis : le peintre Jean Béraud et Gustave de Borda, surnommé « Borda Coup d'Épée », merveilleux duelliste d'un esprit charmant et orné, qui était aussi un incomparable témoin. On se battit au pistolet, sans résultat, mais Béraud garda un souvenir très net de cette pluvieuse matinée d'hiver, à la Tour de Villebon, et de la crânerie montrée par Marcel Proust en dépit de sa faiblesse physique.

L'Affaire Dreyfus vint lui fournir de nouvelles occasions de montrer son courage. Elle provoqua en France une crise d'antisémitisme. Proust aimait trop sa mère (et d'ailleurs avait l'esprit trop juste) pour ne pas réagir, fût-ce contre un homme dont il craignait la colère, comme Robert de Montesquiou. *Proust à Montesquiou :* « Je n'ai pas répondu hier à ce que vous m'avez demandé des Juifs. C'est pour cette raison très simple : si je suis catholique, comme mon père et mon frère, par contre ma mère est juive. Vous comprenez que c'est une raison assez forte pour que je m'abstienne de ce genre de discussions.... »

Sur la tolérance, il s'entendait admirablement avec son amie Mme Straus, élevée « dans la tradition de la famille Halévy, où toutes les religions étaient mêlées et fraternisaient de longue date ». Elle-même ne s'était pas convertie. « J'ai trop peu de religion pour en changer », disait-elle, mais elle avait un grand respect des convictions des autres. Pourtant, lorsque l'Affaire exigea un choix, Mme Straus prit position avec force et, malgré son goût pour certaines « vedettes du camp opposé » (Jules Lemaitre, Maurice Barrès), elle ne chercha pas à retenir

LA GIFLE, PAR JEAN BÉRAUD. *(Collection Mme Broustra.)*

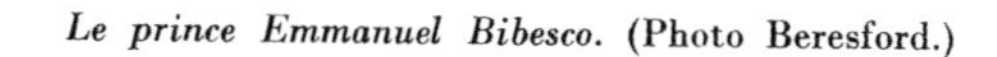
Le prince Emmanuel Bibesco. (Photo Beresford.)

dans son salon les fanatiques qu'écartait son dreyfusisme.

Mais sa confidente la plus constante, au sujet de l'Affaire, fut sa mère, qui partageait avec force ses sentiments et sa foi. Mère et fils observaient l'attitude de leurs amis, ou celle des étrangers rencontrés et, comme le Bloch du roman, cherchaient à deviner, à travers les réticences, les opinions vraies. Se trouvant à Évian, en 1899, au Splendid Hôtel, avec le comte et la comtesse d'Eu, Marcel Proust les traita en fonction de l'Affaire, mais les peignit en romancier. *Proust à Mme Adrien Proust :* « Les Eu ont l'air de bonnes gens très simples, bien que j'affecte le chapeau sur la tête et l'immobilité en leur présence. « Brouillé « depuis Rennes. » M'étant trouvé avec le vieux devant une porte à devoir passer l'un ou l'autre le premier, je me suis effacé. Et il a passé, mais en ôtant son chapeau avec un grand salut, pas du tout condescendant, ni d'Haussonville, mais de vieux brave homme très poli, salut que je n'ai encore eu d'aucune des personnes devant qui je m'efface de même, qui sont de « simples bourgeois » et passent raides comme des princes.... »

Mais alors que tant de dreyfusistes permettaient à l'Affaire de

Le professeur Adrien Proust et son fils Robert, 45, rue de Courcelles.

colorer tous leurs jugements et devenaient incapables de justice, et même de pitié, pour leurs adversaires, Marcel Proust garda toujours la mesure et la raison. Il ne se brouilla pas avec les Daudet. Il fut heureux, quand vint, en 1901, le temps des réhabilitations, de voir que la vie, pour Dreyfus et pour Picquart, « était devenue providentielle, à la façon des contes de fées et des romans-feuilletons », mais il déplut à sa sensibilité que le général Mercier fût insulté par Barthou, « dreyfusard depuis quelques semaines ».

Et, bien qu'il eût rencontré, dans l'Affaire, l'hostilité active, non de l'Église, mais de certaines congrégations, il défendit dans *Le Figaro*, avec ingéniosité et passion, les églises que le projet Briand menaçait alors de désaffecter.

En 1900, le docteur et Mme Adrien Proust allèrent habiter 45, rue de Courcelles, au coin de la rue de Monceau, une maison « à voûte sonore et large escalier ». Les pièces y étaient vastes et riches. Le soir, Marcel travaillait dans la grande salle à manger « aux boiseries sévères à reflets d'acajou ». Il y avait sur

Zola, Labori, G. Clemenceau, au moment de l'Affaire Dreyfus. (Collection L'Illustration.)

L'Exposition universelle de 1900. Palais de l'Électricité. (Documentation Hachette.)

la table des livres, des papiers et une lampe à huile « dont il aimait la clarté blonde et douce ». Il avait découvert depuis peu un écrivain anglais du XIXe presque inconnu en France, John Ruskin, dont les théories sur l'art l'enchantaient, parce qu'elles rejoignaient et confirmaient les siennes sur bien des points, provoquaient sur d'autres sa réflexion critique, et il avait entrepris de le traduire. C'est là aussi que, électricité éteinte, maison endormie, il lisait Saint-Simon, Chateaubriand, Sainte-Beuve, Émile Mâle. Sa porte était ouverte pour les intimes : Antoine Bibesco, Guiche, Georges de Lauris, Louis d'Albuféra et Bertrand de Fénelon dont les yeux vifs et la jaquette au vent devaient prêter à Saint-Loup une part de son charme. La jolie Louisa de Mornand entrait parfois, après le théâtre, pour dire bonsoir à Marcel. Il est remarquable que tous : actrice, diplomate, savant, poète, homme de cheval, aient tenu pour un privilège d'être l'ami de ce malade inconnu qui semblait, à travers eux, explorer le monde. « Il paraissait un noble étranger qu'environnait le mystère d'un pays de mémoire et de pensée. »

Parfois le docteur Proust restait un instant et racontait une histoire politique ou médicale; Mme Proust, fine, réservée, disait un mot aimable aux amis de

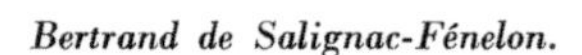
Bertrand de Salignac-Fénelon.

son fils, puis se retirait avec une discrétion mélancolique, non sans avoir fait ses recommandations : « Mon cher petit, si tu sors ce soir, couvre-toi bien.... Il fait très froid.... Ayez soin de lui, n'est-ce pas, monsieur ?... Il a eu tout à l'heure une crise d'étouffement.... » Son asthme augmentait et souvent, bien que sa chemise d'habit fût préparée, étendue devant le feu de bois qui brûlait, même en été, dans la cheminée de la salle à manger (il avait horreur du linge froid, qu'il disait humide), il renonçait au dernier moment à sortir. Ces soirs-là, il dînait d'une tasse de café au lait bouillant et offrait à ses visiteurs une coupe de cidre, souvenir de la Beauce, « où des bulles grumelaient le verre et lui donnaient une extrême beauté en brodant de mille points délicats sa surface que le cidre rosait ».

Parfois il dînait chez Larue ou chez Weber, et on le voyait arriver, rue Royale, enveloppé de sa pelisse, fût-ce au printemps, et d'une pâleur inhumaine sous ses cheveux noirs. D'autres fois, il recevait rue de Courcelles, ses parents le laissant présider la table, et il prenait plaisir à réunir des hommes qui, hors de sa présence, étaient brouillés depuis l'Affaire, comme Léon Daudet et Anatole France. Mme de Noailles, alors dans tout l'éclat de son jeune esprit, était l'un des ornements de ces dîners. Montesquiou venait parfois, et que de précautions il fallait prendre alors pour le choix des invités !

Quand il se sentait mieux, Marcel voyageait pour voir des arbres, des tableaux, de belles églises. Il alla ainsi en Hollande, avec Bertrand de Fénelon ; en Bourgogne, avec Louis d'Albuféra ; à Venise, avec sa mère. C'étaient pour lui de grandes aventures.

En été, quand ses étouffements lui laissaient une période d'accalmie, il allait surprendre Léon Daudet à Fontainebleau, Mme Alphonse Daudet en Touraine, les Finaly ou Mme Straus en Normandie. Son futur éditeur, Gaston Gallimard, le vit pour la première fois à Bénerville, chez Louisa de Mornand. Proust arrivait à pied de Cabourg.

« C'est à cette époque, raconte Georges de Lauris, que nous avons fait, quelques amis et lui, des voyages vers les églises, les monuments qu'il aimait. Il n'y avait pas à craindre qu'il ne fût pas prêt de bon matin, car il restait levé depuis la veille. En route, il ne prenait que des cafés au lait, qu'il payait royalement. Nous avons été ainsi à Laon, à Coucy. Il est monté même, malgré ses étouffements et sa fatigue, jusqu'à la plate-forme de la grande tour, celle que les Allemands ont abattue. Je me rappelle qu'il montait appuyé au bras de Bertrand de Fénelon qui, pour l'encourager, chantait à mi-voix l'*Enchantement du Vendredi saint*. C'était, en effet, un Vendredi saint, avec les arbres fruitiers en fleurs sous un premier soleil. Je vois aussi Marcel attentif, devant l'église de Senlis, écoutant le prince Emmanuel Bibesco qui, avec tant de modestie et comme se défendant de lui rien apprendre, expliquait ce qui caractérise les clochers de l'Ile-de-France.... »

Marcel Proust à Venise.

Le Rond-Point des Champs-Élysées, par Loir-Luigi. (Galerie Charpentier.)

RUPTURES

Autour de lui, ses amis se mariaient. Son frère Robert avait, en 1903, épousé Marthe Dubois-Amiot et quitté la rue de Courcelles pour aller vivre boulevard Saint-Germain. En 1904, le duc de Guiche épousa Élaine Greffulhe, fille unique de la comtesse Greffulhe, que Proust admirait tant et dont il avait essayé en vain de se faire donner la photographie par Montesquiou. *Proust au duc de Guiche :* « J'ai dit à Mme Greffulhe que vous aviez envisagé votre mariage (un des aspects seulement) comme une possibilité d'avoir sa photographie. Elle a ri si joliment que j'aurais voulu le lui redire dix fois de suite. Je voudrais bien que mon amitié avec vous me vaille le même privilège.... »

Proust attacha, toute sa vie, une importance extraordinaire à la possession d'une photographie. Il en avait, dans sa chambre, toute une collection qu'il montrait à ses amis, et il scrutait ces images avec la même attention que les aubépines et les roses, pour y délivrer des âmes enchaînées et pour en exiger des aveux muets. Dix ans plus tard, il écrira à Simone de Caillavet, fille de Jeanne Pouquet : « Vous me ferez très plaisir si vous me donnez votre photographie.... Je penserai à vous même sans photographie, mais ma mémoire, fatiguée par les stupéfiants, a de telles défaillances que les photographies me sont bien précieuses. Je les garde comme renfort et ne les regarde pas trop souvent, pour ne pas épuiser leur vertu.... Quand j'étais amoureux de votre maman, j'ai fait, pour avoir sa photographie, des choses prodigieuses. Mais cela n'a servi à rien. Je reçois encore, au Jour de l'An, des cartes de Périgourdins avec lesquels je ne m'étais lié que pour tâcher d'avoir cette photographie !... »

Le peu de bonheur familial qu'il avait lui-même se défaisait alors rapidement. A la fin de 1903, son père mourut, frappé en plein travail par une congestion. Marcel lui dédia la traduction de la *Bible d'Amiens :* « A la mémoire de mon père, frappé en travaillant, le 24 novembre 1903, mort le 26 novembre, cette traduction est tendrement dédiée. » Ce fut pour Mme Proust, épouse exemplaire, un choc dont elle ne se releva pas. Elle vécut désormais pour son deuil, le cultivant avec une étonnante abondance d'anniversaires et de mortifications.

Autant qu'il le put, pendant les années 1904 et 1905, il vécut avec et pour sa mère. En août 1905, alors qu'il l'avait emmenée à Évian, elle y tomba gravement malade d'une crise d'urémie. « Maintenant elle est à Paris, écrivit-il à Montesquiou, dans un état qui me tourmente et me rend infiniment malheureux.... » Il est probable que les scènes, si belles, de la mort de la grand-mère, dans le *Côté de Guermantes*, sont celles dont il fut alors le témoin.

Il y eut quelques jours d'amélioration apparente. *Proust à Montesquiou :* « Quelque espoir que la petite amélioration de ces jours-ci nous donne (et je ne peux pas vous dire combien ce mot *espoir* m'est délicieux, il semble me rendre la possibilité de continuer à vivre), des abîmes où nous étions, la pente sera si longue à remonter que le progrès de chaque jour, si Dieu veut qu'il continue, sera insensible. Puisque vous avez la bonté de vous intéresser à ma peine, je vous écrirai s'il y a quelque mieux décisif qui nous délivre de nos tourments. Mais ne prenez pas la peine d'envoyer. Je ne peux

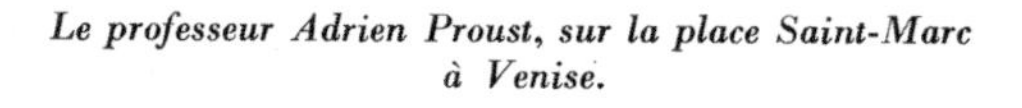
Le professeur Adrien Proust, sur la place Saint-Marc à Venise.

pas vous dire ce que j'ai souffert.... Elle me sait si incapable de vivre sans elle, si désarmé de toute façon devant la vie, que, si elle a eu, comme j'en ai la peur et l'angoisse, le sentiment qu'elle allait peut-être me quitter pour jamais, elle a dû connaître des minutes anxieuses et atroces qui me sont, à imaginer, le plus horrible supplice.... »

Enfin elle mourut. Le désespoir de Marcel inspira une profonde pitié à ses amis. *Journal de Reynaldo Hahn :* « J'ai longuement pensé à Marcel, à son isolement. Je le revois toujours près du lit de mort de Mme Proust, pleurant et souriant au cadavre à travers ses larmes.... » A Laure Hayman, Proust écrivit : « Et maintenant mon cœur est vide, et ma chambre, et ma vie.... » *A Montesquiou :* « Je l'ai perdue, je l'ai vue souffrir, je peux croire qu'elle a su qu'elle me quittait et qu'elle n'a pu me faire des recommandations qu'il était peut-être angoissant pour elle de taire; j'ai le sentiment que, par ma mauvaise santé, j'ai été le chagrin et le souci de sa vie.... »

Il resta quinze mois rue de Courcelles, dans l'appartement où étaient morts ses parents, « pour user le bail », puis, à la fin de 1906, alla vivre 102, boulevard Haussmann, dans une maison appartenant à la veuve de son oncle Georges Weil, le magistrat. *Marcel Proust à Mme Catusse :* « Je n'ai pas pu me décider à aller habiter, sans transition, dans une maison que Maman n'aurait jamais connue et j'ai sous-loué pour cette année l'ancien appartement de mon oncle, dans la maison du 102, boulevard Haussmann, où j'allais quelquefois dîner avec Maman, où j'ai vu mourir mon oncle dans la chambre qui sera la mienne, mais dont, sans ces souvenirs, les décorations dorées sur une muraille couleur chair, la poussière du quartier, le bruit incessant et jusqu'aux arbres appuyés contre la fenêtre répondent évidemment fort peu à l'appartement que je cherchais !... »

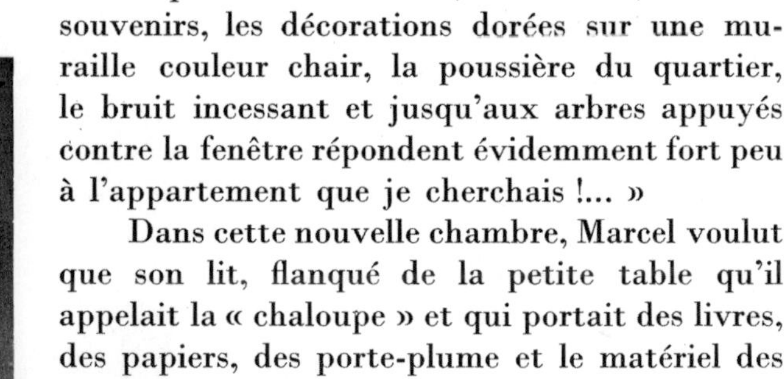

Dans cette nouvelle chambre, Marcel voulut que son lit, flanqué de la petite table qu'il appelait la « chaloupe » et qui portait des livres, des papiers, des porte-plume et le matériel des fumigations, fût orienté comme il l'avait été boulevard Malesherbes et rue de Courcelles, de manière « à laisser voir en diagonale l'entrée des visiteurs, à recevoir le jour de gauche — quand par hasard on le laissait entrer — et de gauche aussi la chaleur du foyer, toujours accusée d'être trop vive ou trop faible.... » Les ouvrages entassés sur la « chaloupe » avaient presque tous

Louisa de Mornand.

LECOMTE·DU·NOÜY·AU·DOCTEUR·PROUST
1·8·8·5

MONSIEUR ADRIEN PROUST, PAR LECOMTE DU NOUY.
(Collection Mme Gérard Mante.)

Le carré Marigny, par J. Béraud. (Galerie Charpentier.)

Le salon de la rue Hamelin.

Simone de Caillavet, la future Mme André Maurois.

été empruntés à des amis. Au temps du déménagement, la bibliothèque familiale s'était trouvée ensevelie sous les meubles, sous les lustres, sous les tapisseries, trop nombreux pour un appartement plus petit, de sorte que Marcel ne pouvait plus atteindre aucun de ses propres livres. Il lui arrivait de prêter à Georges de Lauris un Sainte-Beuve ou un Mérimée qu'il venait d'acheter, en lui disant : « Gardez-le. Si j'en ai besoin, je vous le demanderai. Chez moi, il se perdrait.... »

Le déménagement avait été, pour Marcel, un dépaysement et une tragédie. Il avait, suivant sa coutume, consulté tous ses familiers. Mme de Noailles avait, un soir, été appelée au téléphone, par le sommelier de l'hôtel des Réservoirs à Versailles, qui lui avait demandé, avec une consciencieuse simplicité, « si elle conseillait à M. Proust de louer l'appartement du boulevard Haussmann ».

Mme Catusse avait reçu de nombreuses lettres :

« Croyez-vous que le mobilier de la chambre de Maman (bleu) soit très poussiéreux, ou qu'il soit bien pour ma chambre? Le trouvez-vous joli? Pour un petit salon, préféreriez-vous ce mobilier, ou celui du cabinet de Papa, rue de Courcelles?... »

Le bureau de Marcel Proust rue Hamelin.

Le bal de l'Opéra, par Forain. (Photo Bulloz.)

LA CHAMBRE DE LIÈGE

MARCEL avait d'autres raisons d'être soucieux de ces détails. Le grand travail qu'il venait de commencer, et dont nul encore, pas même lui, ne savait qu'il s'appellerait un jour, pour des générations et des générations de lecteurs, *A la recherche du temps perdu* allait exiger de lui un effort considérable. Aurait-il assez de santé pour l'achever ? Toujours inquiet des bruits qui risquaient de troubler son sommeil, Marcel découvrit enfin un remède : tapisser entièrement sa chambre de liège. Ce fut donc entre quatre murs doublés de subérine, et imperméables aux bruits du dehors, qu'il écrivit son grand livre. Autour de lui étaient ses *Cahiers*, des cahiers d'écolier recouverts de moleskine noire, où il découpait des passages choisis, pour les coller dans le manuscrit définitif. La chambre était remplie des volutes jaunes des fumigations et imprégnée de leur âcre odeur. A travers ce nuage, on apercevait Marcel, pâle, un peu bouffi, ses yeux brillant dans le brouillard, vêtu d'une chemise de nuit et de nombreux tricots superposés, grillés, effilochés. Ramon Fernandez a décrit l'une de ses visites nocturnes au boulevard Haussmann, et la voix de Proust, « cette miraculeuse voix, prudente, distraite, abstraite, ponctuée, ouatée,

L'escalier de l'Opéra, par E. Detaille.
(Arch. photographiques.)

qui semblait former les sons au-delà des dents et des lèvres, au-delà de la gorge, dans les régions mêmes de l'intelligence.... Ses admirables yeux se collaient matériellement aux meubles, aux tentures, aux bibelots; par tous les pores de sa peau, il semblait aspirer la réalité contenue dans la chambre, dans l'instant, dans moi-même; et l'espèce d'extase qui se peignait sur son visage était bien celle du médium qui reçoit les messages invisibles des choses. Il se répandait en exclamations admiratives, que je ne prenais pas pour des flatteries puisqu'il posait un chef-d'œuvre partout où ses yeux s'arrêtaient.... »

Chaque spécialiste était consulté, Reynaldo Hahn sur la musique, Jean-Louis Vaudoyer sur la peinture, la famille Daudet sur les fleurs. En toutes choses, il voulait connaître le terme technique, « si bien qu'un musicien, un jardinier, un peintre ou un médecin peuvent croire, en le lisant, que Proust a consacré des années à la musique ou à l'horticulture, à la peinture ou à la médecine ». « Nous nous appliquions de notre mieux, dit Lucien Daudet, à le renseigner — sans savoir au juste dans quel but — au sujet des gâteaux qu'on trouve le dimanche, après la messe, chez le pâtissier de telle ville de province, ou encore au sujet des arbustes qui fleurissent en même temps que les épines et les lilas, ou des fleurs qui, sans être des jacinthes, sont cependant de la même qualité quant au port, à l'emploi, etc. »

Aux femmes, il demandait de l'éclairer sur leurs propres techniques. *Proust à Mme Gaston de Caillavet :* « Est-ce que par hasard vous pourriez me donner, pour le livre que je finis, quelques petites explications « couturières » ? (Ne croyez pas que c'était pour cela que je vous avais téléphoné l'autre jour; je n'y songeais, mais seulement à l'envie de vous voir).... » Suivaient de pressantes questions sur la robe qu'avait portée Mme Greffulhe à une représentation italienne du théâtre de Monte-Carlo, « dans une baignoire d'avant-scène fort noire, il y a à peu près deux mois » (et les réponses devaient être utilisées pour habiller la princesse de Guermantes, à l'Opéra). Il aurait voulu revoir des robes, des chapeaux portés par ses amies vingt ans plus tôt, et s'indignait de ce qu'elles ne les eussent pas conservés. « Mon cher Marcel, c'est un chapeau d'il y a vingt ans; je ne l'ai plus.... — Ce n'est pas possible, madame. Vous ne *voulez* pas me le montrer. Vous l'avez et vous voulez me contrarier. Vous allez me faire une énorme peine.... »

Un soir, à onze heures trente, il arrivait chez ses amis Caillavet, qu'il n'avait pas vus depuis longtemps. « Monsieur et madame sont-ils couchés ? Peuvent-ils me recevoir ?... » Naturellement, on le recevait.

Mode 1913. (Arts Décoratifs. Photo M. Rigal.)

« Madame, voulez-vous me faire une immense joie ? Il y a très longtemps que je n'ai vu votre fille. Je ne reviendrai peut-être plus ici.... et il y a peu de chances pour que vous l'ameniez jamais chez moi ! Quand elle sera en âge d'aller au bal, je ne pourrai plus sortir; je suis si malade. Alors, madame, je vous en prie, laissez-moi voir ce soir Mlle Simone.

— Mais, Marcel, elle est couchée depuis longtemps.

— Madame, je vous en supplie, allez voir. Si elle ne dort pas, expliquez-lui.... »

Simone descendit et fit la connaissance de l'étrange visiteur. Que cherchait-il en elle ? Les impressions dont il avait besoin pour peindre Mlle de Saint-Loup, fille d'une femme qu'a aimée le Narrateur.

C'était aussi à la poursuite d'images du passé que, si son état le lui permettait, il voyageait encore : « Je sors une fois par hasard, et c'est en général pour aller voir des aubépines, ou les falbalas de trois pommiers en robe de bal sous un ciel gris. » Quand ses crises devenaient trop fréquentes, il n'osait même plus regarder à travers la vitre les marronniers de son boulevard, et tout un automne se passait sans qu'il eût vu la couleur de la saison. Au temps des « vacances », il faisait « une

" Dès qu'il le pouvait, il allait à Cabourg, pour y nourrir les fantômes de Balbec et l'ombre des jeunes filles en fleurs. "

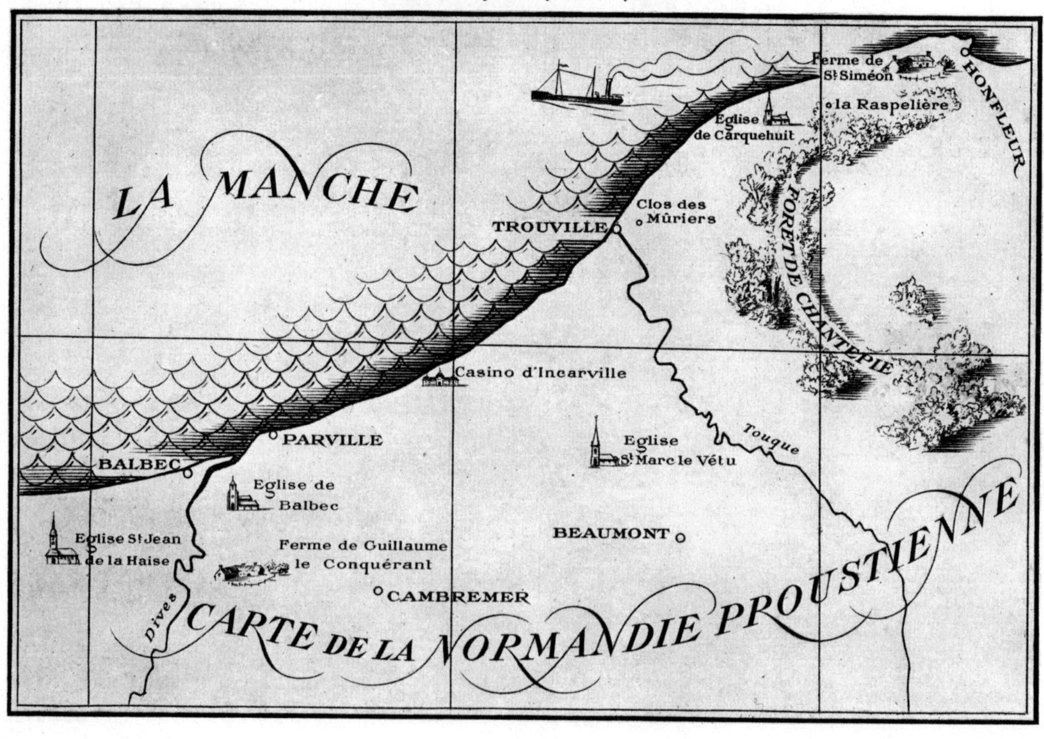

Élisabeth de Gramont, duchesse de Clermont-Tonnerre, d'après le portrait peint par Romaine Brooks. Elle a servi de modèle à la princesse des Laumes, première vision d'Oriane de Guermantes.

consommation effrayante et platonique d'indicateurs et potassait mille voyages circulaires » qu'il rêvait entre deux et six heures du matin, sur sa chaise longue.

Si, au contraire, il allait un peu mieux, il se risquait au-dehors. « Les exceptions à la règle sont la féerie de l'existence », disait-il. La duchesse de Clermont-Tonnerre le reçut un soir, à Glisolles, alors qu'il « faisait la Normandie » en taxi et admirait les fleurs à travers les vitres fermées de sa voiture. « On braqua les phares de l'auto sur les allées de rosiers. Les roses apparurent comme des beautés qu'on vient d'arracher au sommeil.... » Il allait revoir « sous l'indifférence et l'opacité d'un ciel pluvieux, à qui ils parvenaient à dérober des trésors de lumière (par un miracle qui aurait pu être figuré dans la cathédrale, entre tant d'autres moins intéressants), les vitraux d'Évreux ». Pour supporter ces voyages, il se nourrissait exclusivement de café au lait et remerciait son hôtesse « d'avoir guidé, sur les marches nocturnes, ses pas tremblants de caféine ». En 1910, il rêva d'un séjour à Pontigny : « Connaissez-vous l'abbaye laïque de Paul Desjardins à Pontigny ? Si j'étais assez bien portant pour un séjour si peu confortable, voilà qui me tenterait.... »

Mais surtout, dès qu'il le pouvait, il allait à Cabourg, pour y nourrir les fantômes de Balbec et l'ombre des jeunes filles en fleurs.

Dans un hôtel, il lui fallait trois chambres (pour être certain d'échapper aux voisins bruyants), dont une pour Félicie. « Mais ne serait-ce pas ridicule d'amener

Armenonville le soir du Grand Prix, par Gervex.

ma vieille cuisinière à l'hôtel ? » L'appartement devait être gai, confortable, *sans pas au-dessus de la tête*. Au besoin, il louerait aussi la chambre située au-dessus de la sienne. Tout le jour, il restait enfermé dans celle-ci, travaillant ou interrogeant les domestiques de l'hôtel qui lui apportaient, sur les clients ou sur le personnel, de précieux renseignements. Au coucher du soleil, son ennemi le Jour étant vaincu, il descendait, une ombrelle à la main, et restait un instant sur le seuil comme l'oiseau nocturne qui, au crépuscule, sort de sa sombre retraite — s'assurant que ce n'était pas seulement un nuage, qu'il n'y aurait aucun retour offensif de la lumière. Plus tard, assis à une grande table de la salle à manger, il recevait, simple, frileux, charmant, et offrait du champagne à ceux qui s'approchaient.

A Paris, il allait encore dans quelques salons, pour y suivre ses personnages, mais il y arrivait si tard que beaucoup, en le voyant, s'écriaient : « Marcel ! c'est un coup de deux heures du matin », et prenaient la fuite. Tel était le cas d'Anatole France, aux mercredis de Mme Arman de Caillavet.

Quand Proust recevait lui-même, ce n'était plus, comme au temps de ses parents, dans sa propre maison, mais au restaurant et surtout à l'hôtel Ritz, dont le maître d'hôtel, Olivier Dabescat, l'enchantait par sa discrète distinction, par son officieuse dignité et par sa science des bons usages. Donner un dîner pour Calmette, directeur du *Figaro*, qui accueillait avec bienveillance ses articles, c'était, aux yeux de Proust, un événement que préparaient de longues lettres à Mme Straus et des coups de téléphone (que, d'ailleurs, il ne donnait pas lui-même) à chacun

LA SORTIE DES OUVRIÈRES DE LA MAISON PAQUIN (RUE DE LA PAIX),
PAR JEAN BÉRAUD. *(Carnavalet.)*

des invités; à Gabriel Fauré, qui devait jouer, car Reynaldo était à Londres où il chantait devant le roi Édouard VII et la reine Alexandra.... Et pouvait-on inviter M. Joseph Reinach avec le duc de Clermont-Tonnerre? Et quel était l'ordre des préséances entre Fauré, « qui n'est plus jeune; Calmette, pour qui je donne le dîner; Béraud, qui est très susceptible; M. de Clermont-Tonnerre, qui est plus jeune, mais qui descend de Charlemagne; des étrangers... » ?

Enfin le dîner avait lieu, dans un salon du Ritz, aux panneaux tendus de brocart cerise, à l'ameublement doré. « Deux Lapons gonflés de fourrures » étonnaient dans ce décor : c'étaient Proust et Mme de Noailles. Risler, engagé au dernier moment, jouait des ouvertures wagnériennes. Après le dîner venait l'heure des pourboires. Marcel voulait offrir trois cents francs à Olivier, et ses convives se précipitaient sur lui pour le contraindre à moins de générosité. Il passait outre.

Mais Cabourg, le Ritz, les visites nocturnes n'étaient que des coups de main destinés à rapporter des renseignements sur l'ennemi, c'est-à-dire sur le monde extérieur. La vraie vie de Proust, pendant ses années de travail, se passait dans le lit où il écrivait, entouré de ce que Félicie, héritée de Mme Proust (Françoise du roman), appelait « ses paperoles », c'est-à-dire ses carnets, ses cahiers de notes, ses innombrables photographies. A force de coller les uns aux autres des fragments qui, amalgamés, allaient former le plus beau livre du monde, les papiers se déchiraient çà et là. « C'est tout mité, disait Françoise. Regardez, c'est malheureux, voilà un bout de page qui n'est plus qu'une dentelle. » Et, l'examinant comme un tailleur : « Je ne crois pas que je pourrai le refaire, c'est perdu.... » Mais rien n'était perdu et, lentement, comme le bœuf mode de Françoise, l'œuvre à laquelle désormais Marcel Proust devait, à la lettre, donner sa vie, se faisait.

L'arrivée des invités, par L. Sabattier.
(Collection L'Illustration.)

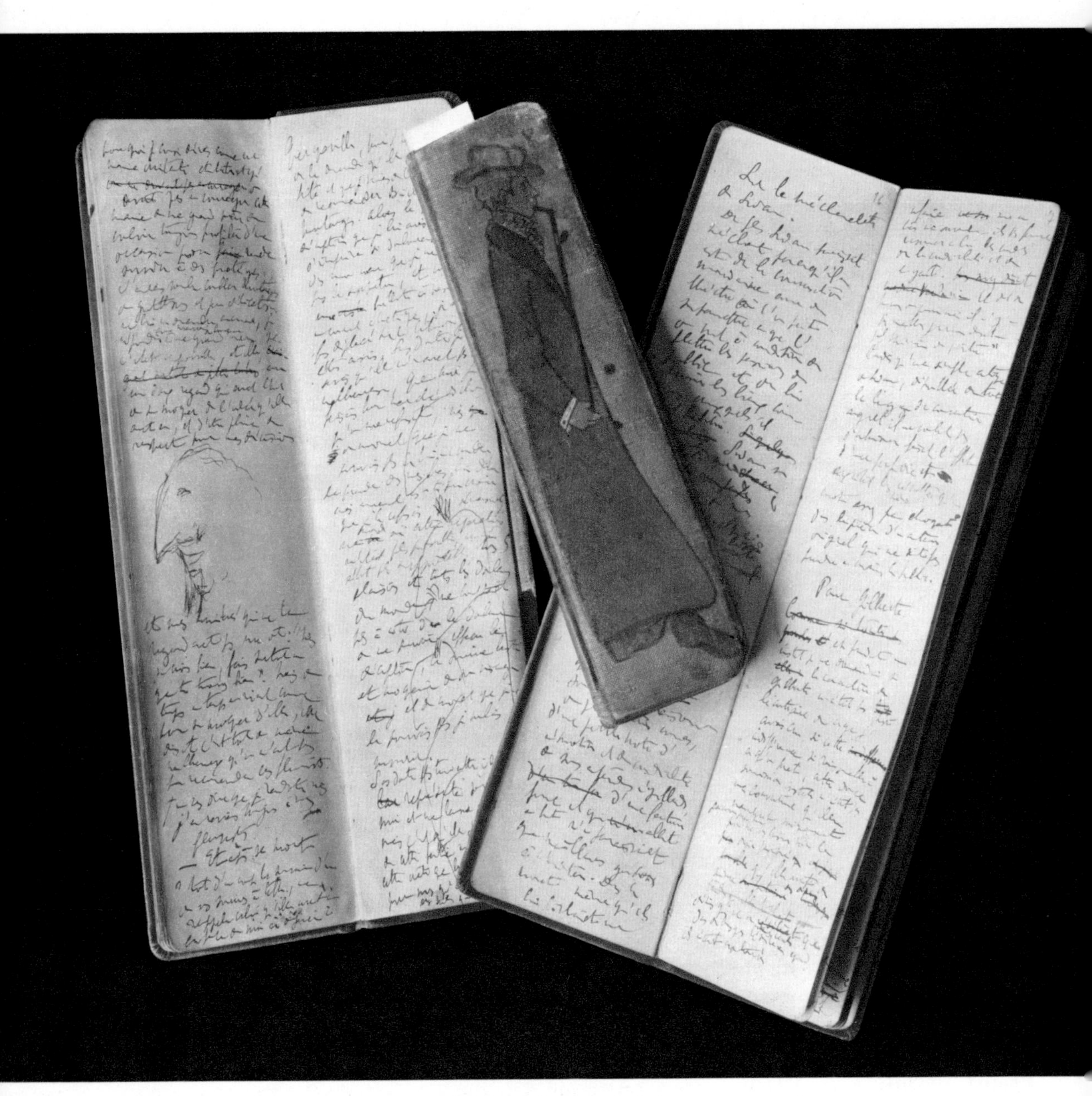

Les carnets sur lesquels Marcel Proust prenait des notes en vue de son roman.

La fête des fleurs. (Collection L'Illustration.)

CLEFS

SUR ce sujet des « clefs » de l'œuvre, il faut avant tout citer le témoignage de Proust lui-même. Il est contenu dans une longue dédicace du *Côté de chez Swann* à Jacques de Lacretelle, qui lui avait posé là-dessus de légitimes questions : « ... Il n'y a pas de clefs pour les personnages de ce livre, ou bien il y en a huit ou dix pour un seul.... Un instant, quand elle se promène près du Tir aux Pigeons, j'ai pensé, pour Mme Swann, à une cocotte admirablement belle de ce temps-là qui s'appelait Clomesnil. Je vous montrerai des photographies d'elle. Mais ce n'est qu'à cette minute-là que Mme Swann lui ressemble. Je vous le répète, les personnages sont entièrement inventés et il n'y a aucune clef.... »

Le portrait de Mme de Chevigné dans *Les Plaisirs et les Jours*, son profil d'oiseau, sa voix rauque forment le support temporel et réel de la duchesse. La très belle comtesse Greffulhe a posé pour la princesse de Guermantes. Charlus n'est pas Robert de Montesquiou, mais la véhémence de son langage et la dureté pittoresque de son orgueil sont empruntées aux imitations que Proust faisait du poète, cependant que l'aspect physique est celui d'un baron Doazan, cousin de Mme Aubernon et « assez dans ce genre ».

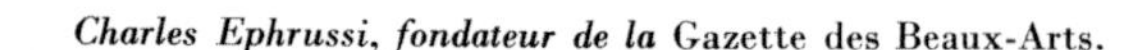
Charles Ephrussi, fondateur de la Gazette des Beaux-Arts.

On a beaucoup dit que Swann était Charles Haas, fils d'un agent de change, « choyé dans les salons fermés, pour sa grâce, son goût et son érudition », membre du Jockey Club, enfant chéri des Greffulhe, ami du prince de Galles et du comte de Paris, et qui portait, comme Swann, une brosse rousse à la Bressant. Élisabeth de Gramont fait cette juste et curieuse remarque que Haas, en allemand, veut dire *lièvre*, et que Swann, *cygne*, transpose le nom avec élégance. Il est certain que Haas a fourni des traits de Swann, mais son érudition, superficielle, fut complétée par celle d'un autre Israélite, Charles Ephrussi, fondateur de la *Gazette des Beaux-Arts*. Cependant Swann apparaît avant tout comme une incarnation de Proust lui-même, ainsi qu'on le voit si clairement dans les versions des *Cahiers* où Swann, jeune, est d'abord le héros des aventures qui deviendront ensuite celles du Narrateur.

On a écrit cent fois que Bergotte était Anatole France, et certes Bergotte, en quelques passages, est proche d'Anatole France. Il l'est à la fois par la barbiche, par le nez en colimaçon et par le style, par « les expressions rares, presque archaïques, qu'il aimait employer à certains moments où un flot caché d'harmonie, un prélude intérieur soulevait son style » ; et c'était aussi à ces moments-là qu'il se mettait à parler du « vain songe de la vie », de « l'inépuisable torrent des belles apparences », du « tourment stérile et délicieux de comprendre et d'aimer », des « émouvantes effigies qui anoblissent à jamais la façade vénérable et charmante des cathédrales »; qu'il exprimait toute « une philosophie nouvelle pour moi par de merveilleuses images dont on aurait dit que c'étaient elles qui avaient éveillé ce chant de harpes qui s'élevait alors et à l'accompagnement duquel elles donnaient quelque chose de sublime.... » Cela, c'est France; mais Bergotte est aussi Renan lorsque, rencontrant le nom d'une célèbre cathédrale, il interrompt son récit « et, dans une invocation, une apostrophe, une longue prière, donne libre cours à ces effluves qui, jusqu'alors, restaient intérieurs à sa prose ». Mais, ailleurs encore, Bergotte est Proust lui-même, et le récit de la mort de Bergotte est modelé sur une indigestion qu'eut Marcel en visitant, avec Jean-Louis Vaudoyer, au Jeu de Paume, une exposition de peintres hollandais.

Laure Hayman, alors septuagénaire, fut très froissée par le portrait d'Odette de Crécy, qui tenait d'elle la manie d'employer des mots anglais; qui, comme elle, habitait rue La Pérouse; mais Proust se défendit et, semble-t-il, de bonne foi :

« Odette de Crécy, non seulement n'est pas vous, mais est exactement le contraire de vous. Il me semble qu'à chaque mot qu'elle dit cela se devine avec une force d'évidence.... J'ai mis, dans le salon d'Odette, toutes les fleurs très particulières qu'une « dame du côté de Guermantes », comme vous dites, a toujours dans son salon. Elle a reconnu ces fleurs, m'a écrit pour me remercier et n'a pas cru une seconde qu'elle fût pour cela Odette. Vous me dites.... que votre « cage » (!) ressemble à celle d'Odette. J'en suis bien surpris. Vous aviez un goût d'une sûreté, d'une hardiesse! Si j'avais le nom d'un meuble, d'une étoffe à demander, je m'adresserais volontiers à vous, plutôt qu'à n'importe quel artiste. »

Le premier tome venait de paraître quand la guerre éclata. C'était un nouvel obstacle sur sa route. Quelques dizaines de lecteurs à peine avaient alors eu le temps de découvrir, avec émerveillement, ce qui se passait *Du côté de chez Swann*. Et pour le monde entier, la littérature n'était plus maintenant qu'un beau souvenir, un divertissement de temps de paix. Pourtant de la difficulté même Proust allait tirer un profit. Certes, son attitude la plus constante devant la guerre fut celle des Français de Saint-André-des-Champs. *Marcel Proust à Paul Morand :* « Je ne vous

Le salon de Sarah Bernhardt, boulevard Pereire à Paris, par Nadar.

parle pas de la guerre. Je l'ai, hélas! assimilée si complètement que je ne peux pas l'isoler. Je ne peux pas plus parler des espérances et des craintes qu'elle m'inspire qu'on ne peut parler des sentiments qu'on éprouve si profondément qu'on ne les distingue pas de soi-même. Elle est moins, pour moi, un objet, au sens philosophique du mot, qu'une substance interposée entre moi-même et les objets. Comme on aimait en Dieu, je vis dans la guerre.... » L'homme Marcel Proust ne parla jamais du front, des armées, que dans les termes alors consacrés, en partie parce qu'il avait toujours accepté le cérémonial et les conventions de son temps, en partie parce qu'il était « particulièrement sensible au sentiment de l'honneur et même du point d'honneur ». Mais si le citoyen et l'homme du monde se montraient délibérément conformistes, le romancier observait, sans indulgence ni mensonge, les passions collectives, qui ressemblent tant à celles des individus, et notait les déformations, à ces hautes températures, des êtres, des classes et des nations.

A Lucien Daudet, Proust signalait les hypocrites *louchonneries* des gens de l'arrière, les tuniques « très guerre » des femmes et leurs hautes guêtres « rappelant celles de nos chers combattants ». Il était irrité par la sottise des chroniqueurs qui ne parlaient que « Boches », *Kultur*, se refusaient à entendre *Tristan* ou la *Tétralogie* et ne voulaient plus qu'on apprît l'allemand.

Autour de lui, la guerre frappait de tous côtés. Son frère, Robert, médecin-major à Verdun, fut bientôt blessé et cité. Reynaldo était au front, courageux, « avec un côté *Mort du Loup* » qui inquiétait son ami. Bertrand de Fénelon (le *Nolenef* des *Ocsebib*), « l'être le plus intelligent, bon et brave », avait été tué le 17 décembre 1914. Gaston de Caillavet était mort le 13 janvier 1915.

Le duc de Gramont, par Lazlo. (Collection du duc de Gramont, photo Hachette.)

Mme Ménard-Dorian dont le salon inspira certains aspects du petit clan des Verdurin.

Marcel, bien que depuis longtemps rayé des cadres de l'armée pour maladie chronique, devait de nouveau passer des conseils de revision. Son état n'était pas douteux, mais « les examens sont souvent rapides et imparfaits. Reynaldo a assisté à la visite suivante : « Qu'avez-vous ? — Je suis « cardiaque. — Non ! bon pour le service armé. » Et le malade tombe raide mort. Il est fort possible que la même scène se reproduise pour moi. Mais, dans ce cas-là, ce qui me tuera, ce ne sera certainement pas l'émotion de partir. Ma vie au lit, depuis en somme déjà douze ans, est trop triste pour que je la regrette.... » Ce qu'il craignait était surtout l'heure des visites médicales, qui risquait de le priver des seuls moments où il pût dormir. Par une curieuse erreur, il reçut une convocation pour 3 h 30 du matin, aux Invalides. Inadvertance de scribe, mais qui parut à Proust la plus naturelle du monde et la plus heureuse.

Sous les Taubes et les Zeppelins, il continua sa vie d'oiseau nocturne. Le soir, au bruit des sirènes, il emmenait chez Ciro's des amis comme Jacques Truelle, jeune diplomate qui avait bien parlé de *Swann*, et c'était une belle conversation, Proust mêlant les personnages historiques à ceux des romans : « Il associait le maréchal de Villars au colonel Chabert ou au général Mangin, le docteur Cottard au *Médecin de campagne*, Mme de Guermantes à Mme de Maufrigneuse. Vous le deviniez fatigué d'avoir vu tant de monde et vous vouliez partir. Il vous répondait : « En effet, je suis mort, mais comme c'est ennuyeux : nous n'avons « rien dit du cardinal Fleury et des d'Espard. Il faudra revenir bientôt, et nous « parlerons d'eux, ou d'Albertine, puisque vous vous y intéressez.... »

On le ramenait jusqu'à sa porte et, sur le seuil encore, il parlait de ses personnages à la manière de Balzac, avec détachement. « Mais non, disait-il, ne croyez pas que la duchesse de Guermantes soit bonne. Elle peut être capable de quelques gentillesses par hasard, et encore.... » Et une autre fois, plus tard (à Guiche) : « La duchesse de Guermantes ressemble un peu à la poule coriace que je pris jadis pour un oiseau de paradis.... En faisant d'elle un puissant vautour, j'empêche au moins qu'on la prenne pour une vieille pie. » — « Pourquoi êtes-vous si sévère pour M. de Charlus ? Quand vous le connaîtrez mieux, je crois que vous le trouverez agréable de conversation. J'avoue pourtant que son charlisme a des proportions ignobles. Mais, le reste du temps, il est gentil et parfois éloquent.... »

Le café de la Paix en 1911. (Documentation Hachette.)

Une autre fois, il allait chercher Marie Scheikevitch. « Ce soir, lui disait-il, je vous enlève. Si vous le voulez bien, nous irons chez Ciro's.... De grâce, ne prenez pas froid. Ne regardez pas surtout mon col; si vous voyez du coton hydrophile en sortir, c'est la faute de Céleste, qui a voulu absolument m'en mettre, bien malgré moi.... Non, vous n'avez pas besoin de faire appeler un taxi, le mien est en bas; ne craignez pas non plus d'avoir froid aux pieds, j'ai fait mettre une boule pour vous. Que c'est gentil de mettre ce beau renard blanc !... Vraiment, vous n'avez pas honte de sortir avec quelqu'un de si mal habillé ? » Puis, au maître d'hôtel : « Avez-vous des filets de sole au vin blanc ? du bœuf mode ? une petite salade ? et — je vous le recommande bien crémeux — un soufflé au chocolat (les invités de Marcel mangeaient presque toujours le même menu, celui qu'il eût préféré pour lui-même, si l'état de sa santé le lui eût permis). Oh ! moi, je ne prends presque rien; faites-moi apporter un verre d'eau; j'ai des cachets qu'il ne faut pas que j'oublie.... Et du café, du bon café; si cela vous est égal, j'en boirai plusieurs tasses. »

Souvent aussi, traversant le Paris désert et sombre de la guerre, il rejoignait au Ritz la princesse Soutzo et, quand Paul Morand (son futur mari) était à Paris, dînait avec eux.

J. Rougeron

LES JEUNES FILLES, PAR J. ROUGERON.

Pour son roman, Proust notait alors des « ciels de Paris, la nuit, pendant un raid », comme il avait jadis croqué des « jours de tempête à Balbec ». Il y peignait les avions, qu'il appelait *aréoplanes*, montant comme des fusées rejoindre les étoiles et les projecteurs qui promenaient lentement, dans le ciel sectionné, comme une pâle poussière d'astres, d'errantes voies lactées, jets d'eau lumineux qui semblaient, dans les nuages, les reflets des fontaines de la Concorde ou des Tuileries.

Quand Marcel n'était pas assez bien pour sortir, Henri Bardac et quelques autres venaient dîner près de son lit, de poulet rôti et de marmelade de pommes. Un soir, Reynaldo, pendant une de ses rares permissions, apparut soudain vers minuit, comme autrefois, et joua du Schubert, du Mozart, un fragment des *Maîtres chanteurs*. Vers quatre heures du matin, Proust réclama la « petite phrase ». Plus tard, Bardac demanda à Reynaldo d'où venait celle-ci. « Teintée, dans l'esprit de Marcel, de réminiscences franckiennes, fauréennes et même wagnériennes, c'est, dit Reynaldo, un passage de la Sonate en *ré* mineur de Saint-Saëns. »

" *... Les projecteurs se remuaient sans cesse, flairant l'ennemi, le cernant de leurs lumières, jusqu'au moment où les avions aiguillés bondiraient en chasse pour le saisir.* " (Le Temps retrouvé.) (22 mars 1915. Collection L'Illustration.)

Marcel Proust à cinquante ans, aux Tuileries quand il visitait l'Exposition des Peintres hollandais à l'Orangerie.

Illustration de Van Dongen pour " A la recherche du temps perdu ". (Collection Mme Gérard Mante.)

SA VICTOIRE

LE 11 novembre 1918, Marcel écrivit à Mme Straus : « Nous avons trop pensé ensemble à la guerre pour que nous ne nous disions pas, au soir de la Victoire, un tendre mot, joyeux à cause d'elle, mélancolique à cause de ceux que nous aimions et qui ne la verront pas. Quel merveilleux *allegro presto* dans ce finale, après les lenteurs infinies du début et de toute la suite. Quel dramaturge que le Destin, ou que l'homme qui a été son instrument!... » Les foules de ce jour l'avaient intéressé, en lui permettant d'imaginer mieux celles de la Révolution : « Mais, si grand que soit le bonheur de cette immense victoire inespérée, on pleure tant de morts qu'une certaine forme de gaieté n'est pas la forme de célébration qu'on préférerait. On pense malgré soi aux vers d'Hugo :

Le bonheur, douce amie, est une chose grave,
Et la joie est moins près du rire que des pleurs....

Permissionnaires à Paris. (Collection L'Illustration.)

(Je ne suis pas certain que ce soit « douce amie », c'est dans la dernière scène d'*Hernani*...) ».

Il était beaucoup trop intelligent pour ne pas pressentir l'imprudence de cette joie : « Je préfère à toutes les paix celles qui ne laissent de rancune au cœur de personne. Mais, puisqu'il ne s'agit pas d'une de ces paix-là, du moment qu'elle lègue le désir de vengeance, il eût peut-être été bon de la rendre impossible à exercer. Peut-être est-ce le cas. Pourtant je trouve le président Wilson bien doux et, puisqu'il ne s'agit pas, puisque par la faute de l'Allemagne même, il n'a pu s'agir d'une paix de conciliation, j'aurais aimé des conditions plus rigoureuses; je suis un peu effrayé de l'Autriche allemande venant grossir l'Allemagne, comme une compensation possible de la perte de l'Alsace-Lorraine. Mais ce ne sont que des suppositions et peut-être je me rends mal compte, et c'est déjà bien beau ainsi. Le général de Galliffet disait du général Roget : « Il parle bien, mais il parle trop. » Le président Wilson ne parle pas très bien, mais il parle beaucoup trop.... »

Sa vie personnelle était alors, comme toujours, bouleversée : « Je suis embarqué dans des choses sentimentales sans issue, sans joie, et créatrices perpétuellement de fatigue, de souffrance, de dépenses absurdes.... » Pour couvrir ces dépenses, il aurait voulu vendre le fouillis poudreux de tapis, de buffets, de sièges et de lustres entassés dans sa salle à manger : « La quantité, j'espère, compensera la qualité, qui est médiocre, et le renchérissement de certaines matières, comme le cuir et le cristal, permettrait peut-être d'atteindre à de bons prix. J'ignore absolument si les bronzes ont une valeur quelconque dans les ventes. Dans ce cas, je débarrasserais mon salon de ceux qui ne m'y plaisent pas. J'ai enfin une quantité énorme d'argenterie dont je ne fais rien, puisque, ou bien je prends mes repas au Ritz, ou bien je bois seulement du café au lait dans mon lit.... » Puis (car, au masochiste, les malheurs ne manquent jamais, puisqu'il les fait) il reçut une fatale nouvelle : sa tante avait vendu la maison du boulevard Haussmann, en novembre 1918. Où irait-il, dans un Paris d'après guerre où il n'aurait pas de logis ? Sa santé était mauvaise. Il prenait, pour dormir, jusqu'à un gramme cinquante de véronal par jour, ce qui le laissait, au réveil, assommé, presque aphasique, de quoi la caféine le réveillait, mais en le rapprochant de la mort. Lui faudrait-il, dans cet état, affronter de nouveau les marteaux des tapissiers ? Cependant il avait remis le second volume de son livre, *A l'ombre des jeunes filles en fleurs*, à Gaston Gallimard, et celui-ci s'apprêtait à le faire paraître en même temps que des *Pastiches et Mélanges*, textes déjà publiés dans des revues ou journaux. Le second tome (plus tard scindé en trois) était si long qu'il formait une masse serrée, inaccoutumée, à la fois attirante par son étrangeté et terrifiante par sa densité.

Les articles chaleureux ne manquèrent pas. Léon Daudet entra en campagne pour faire donner à Proust le Prix Goncourt. Proust, tout en affectant un certain

Hôtel Ritz, la grande salle à manger. (Photo Harlingue.)

détachement, s'en occupa lui-même, non sans adresse. Il entreprit de mettre en mouvement Louis de Robert, Reynaldo Hahn, Robert de Flers et y réussit. Enfin, le 10 novembre 1919, il obtint le prix par six voix contre quatre aux *Croix de bois* de Roland Dorgelès. Gallimard, Tronche et Rivière vinrent aussitôt lui annoncer cette victoire et le trouvèrent couché. Les académiciens Goncourt avaient longtemps hésité. Dorgelès était un combattant, justement aimé dans le monde des lettres. N'était-il pas imprudent de couronner, contre lui, le livre difficile de ce riche amateur? Beaucoup de journalistes le pensèrent, et le choix fut mal accueilli.

Mais qu'importaient quelques détracteurs? Proust avait voulu des lecteurs; enfin il les avait, et dans le monde entier. Huit cents lettres de félicitations lui arrivaient. Il l'écrivait naïvement à son ancien concierge du boulevard Haussmann : « Je n'ai répondu encore qu'à Mme Paul Deschanel et à Mme Lucie Félix-Faure... » En Angleterre, Arnold Bennett et John Galsworthy reconnaissaient en lui la lignée de Dickens et de George Eliot; aucun éloge ne pouvait le toucher davantage. Middleton Murry, dans un article enthousiaste, montrait que la création artistique était, pour Proust, le seul moyen qui permît l'épanouissement complet d'une personnalité; il parlait de la valeur *ascétique* et éducative du livre. En Allemagne, Curtius écrivait : « C'est une ère nouvelle dans l'histoire du grand roman français qui s'ouvre avec Proust.... A notre intelligence comme à notre admiration, il s'impose comme un maître parmi les plus grands.... » Les Américains goûtaient cet humour poétique et profond; bientôt ils allaient faire de Proust un classique.

Qu'était-ce qui expliquait cette réussite universelle d'une œuvre difficile? Était-il possible qu'un public immense et divers s'intéressât aux gens de Combray, au salon de Mme Verdurin, à la plage de Balbec? Des critiques français, malgré l'évidence, continuèrent longtemps d'en douter. « Comment, disaient-ils, tiendrions-nous pour représentatif de notre temps un auteur qui a tout ignoré de nos luttes sociales, qui peint un monde aboli et qui, entre le mondain et l'humain, a choisi le mondain ?... » Pourtant, plus le temps passait, plus aux yeux du lecteur étranger « le massif Proust dominait, en France, la première moitié du XXe siècle, comme le massif Balzac avait dominé le XIXe ». Quelle était donc la portée du roman de Proust?

Sans doute son roman était-il, comme tant d'autres, l'histoire d'une génération. Chroniqueur de génie, Proust avait pris à jamais les empreintes de son époque, il en avait immobilisé les gestes, les attitudes, les modes, et jusqu'aux tics de langage. Mais comme son œuvre allait plus loin que tout cela!

Le lecteur curieux de la société française la trouvait, dans cette grande œuvre, telle qu'elle avait été de 1880 à 1919, mais toute chargée d'un passé qui lui donnait sa signification et sa beauté. Celui qui cherchait des vérités générales sur les mœurs ne pouvait manquer de les trouver chez le moraliste le plus profond qui eût paru en France depuis le XVIIe siècle. Ceux qui souhaitaient, comme la plupart des lecteurs de romans, rencontrer une âme fraternelle qui eût partagé leurs angoisses

Le prince de Sagan posé par Réjane. (Photo Nadar.)

la découvraient en Proust et lui étaient reconnaissants de les aider à entrer en contact avec ces pieux intercesseurs que sont les grands artistes. Sans doute la réalité qu'il peignait, et qui avait été la sienne, était bien spéciale, mais, si tous les hommes ne luttent pas contre les mêmes maux, et si les remèdes qui leur conviennent ne sont pas toujours les mêmes, pourtant ils sont hommes, et aucun d'entre eux ne peut être indifférent au témoignage d'un homme de bonne foi « qui poursuit anxieusement la route de sa propre découverte et qui, sur cette route, se heurte à toutes les bornes, glisse dans toutes les ornières, se perd à tous les carrefours ». Autant que *Wilhelm Meister* et plus complètement que les romans de Stendhal, la *Recherche du temps perdu* apparaissait comme un roman d'apprentissage, en même temps qu'elle était, comme les *Essais* de Montaigne ou les *Confessions* de Rousseau, une somme de la condition humaine, une métaphysique et une esthétique, de sorte que ces Anglais, ces Américains, ces Allemands qui plaçaient cette immense autobiographie romanesque au-dessus d'Anatole France, de Paul Bourget, de Maurice Barrès et de tous les écrivains français de leur temps, ne se trompaient pas.

Il avait perdu, en 1919, son appartement du boulevard Haussmann, lien ultime et fragile avec le passé familial. Sa tante, « sans le prévenir », avait vendu la maison, et le nouveau propriétaire, un banquier, avait décidé d'expulser les locataires. Tout dépaysement était, pour Marcel, un affreux drame.

La maison du boulevard Haussmann, transformée, était devenue la Banque Varin-Bernier, et Marcel avait dû la quitter : « Hélas ! je ne saurais en ce moment vous donner d'adresse, car je n'ai pas de gîte. J'en suis réduit à me répéter les versets : « Les renards auront-ils des tanières et les oiseaux du ciel des nids, et « faudra-t-il que le Fils de l'Homme soit seul à ne pas trouver une pierre où reposer « sa tête ?... » Réjane, ayant par hasard entendu ses lamentations, lui avait offert, dans un immeuble qu'elle possédait, rue Laurent-Pichat, « un misérable garni » qu'il n'avait gardé que quelques mois; enfin il s'était installé dans « un hideux meublé » 44, rue Hamelin, au cinquième étage.

Illustration de Van Dongen pour " A la recherche du temps perdu ".
(Collection Mme Gérard Mante.)

Cet appartement « aussi modeste et inconfortable qu'exorbitant de prix », et où le voisinage du Bois réveillait son asthme des foins, ne devait être, pensait-il, qu'un pied-à-terre provisoire. Il y resta jusqu'à sa mort, laissant « toutes ses affaires », ce qui lui restait de ses tapisseries, de ses lustres, de ses crédences, et même de ses livres, au garde-meuble. « Rien de plus nu, de plus pauvre, dit Edmond Jaloux, que cette chambre dont l'unique ornement était la masse des cahiers qui formaient le manuscrit de son œuvre et qui s'étageaient sur la cheminée.... » Aux murs pendaient de grands lambeaux de papier de tenture déchiré. Ascétique cellule d'un mystique de l'art. « Quand tu te sens un peu seul, écrit-il à Robert Dreyfus, dis-toi que, loin, un bénédictin (j'allais dire un carmélite) de l'amitié pense à toi, prie pour toi. »

DÉCOR POUR LE BALLET DE SHÉHÉRAZADE (1909), PAR LÉON BAKST.
(Arts décoratifs.)

La rue de la Paix, par Georges Victor-Hugo. (Photo H. Martinie et Galerie Charpentier.)

DERNIÈRE CHAMBRE

Depuis 1913, Céleste Albaret gouvernait l'intérieur de Proust. C'était une jeune femme belle et bien faite, qui parlait un français agréable et reposait par une sorte de calme autorité. Elle était entrée dans la vie de Proust en épousant le chauffeur Odilon Albaret, dont le taxi était entièrement au service de Proust, qui s'en servait tantôt pour sortir lui-même, tantôt pour faire porter à la main ses lettres, tantôt pour chercher et ramener, à toute heure de la nuit, ceux qu'une soudaine fantaisie lui inspirait le désir de voir.

Céleste avait ordre de ne jamais entrer chez lui avant qu'il eût sonné, ce qui arrivait le plus souvent vers deux ou trois heures de l'après-midi. A ce moment, il voulait trouver prête son essence de café, aussi forte que celle de Balzac; s'il tardait à s'éveiller, Céleste devait en préparer plusieurs fois de suite « parce que, disait-il, l'arôme s'éventait ». Marcel se nourrissait presque exclusivement de café au lait. Quelquefois (assez rarement) il avait envie d'une sole frite ou d'un poulet rôti, qu'il envoyait chercher chez Larue ou chez Lucas-Carton (vers la fin de sa vie, à l'hôtel Ritz). Faire la cuisine dans l'appartement était interdit, parce que la plus légère odeur eût déclenché une crise d'asthme. Les repas des serviteurs étaient apportés du restaurant Édouard-VII, rue d'Anjou, d'où des frais presque incroyables et la relative pauvreté de cet homme riche. Proust ne voulait pas non plus qu'on se servît chez lui du gaz, pour l'éclairage ou le chauffage, et il l'avait fait supprimer, à cause de l'odeur. Dans toutes ses lettres, il se plaint d'un calorifère qui chauffe trop, ce qui lui donnait des étouffements.

Près de son lit, il avait une petite table de bambou, sa vieille « chaloupe », sur laquelle était toujours un plateau d'argent avec une bouteille d'eau d'Évian, du tilleul et une bougie qui devait brûler jour et nuit pour qu'il pût allumer les poudres à fumigations. Les allumettes étaient prohibées, à cause de leur odeur de soufre. Céleste achetait les bougies par caisses de cinq kilos. De l'autre côté du lit, sur une deuxième table, étaient les cahiers, quelques livres, une bouteille d'encre et de nombreux porte-plume. « C'était, dit Céleste, un homme qui ne faisait rien par lui-même.

« Si son porte-plume tombait par terre, il ne le ramassait pas. Quand *tous* les porte-plume étaient par terre, alors il me sonnait.... Il fallait tous les jours faire son lit à fond et changer les draps, parce qu'il disait que la moiteur du corps les rendait humides. Pour faire sa toilette, il usait quelquefois des vingt à vingt-deux serviettes parce que, dès qu'une serviette était mouillée, ou même humectée, il ne voulait plus y toucher. »

Il était interdit, si Proust travaillait ou dormait, de le déranger pour qui que ce fût. Chaque jour, il lisait son courrier à haute voix à Céleste, avec des commentaires d'après lesquels elle devait deviner, par intuition, s'il accepterait ou non de recevoir telle ou telle personne; s'il fixait un rendez-vous; s'il dînerait en ville ou souperait au restaurant. C'était elle qui communiquait avec le monde extérieur, en allant téléphoner dans un café voisin, chez « des gens du Puy-de-Dôme ». Céleste avait pris beaucoup des habitudes de Marcel, la forme de ses phrases et jusqu'à sa voix.

Elle faisait comme lui des imitations de ses amis. « Céleste, lorsqu'elle m'avait ouvert la porte l'autre soir, dit Gide, après avoir exprimé les regrets qu'avait Proust de ne pouvoir me recevoir, ajoutait : « Monsieur prie Monsieur Gide de « se convaincre qu'il pense incessamment à lui. » (J'ai noté la phrase aussitôt).... »

Après quelque temps, elle avait fait venir sa sœur, Marie Gineste et sa nièce, Yvonne Albaret (cette dernière dactylographe), pour l'aider dans son travail. Souvent, le soir, Proust convoquait, dans sa chambre, ces jeunes femmes, qu'accompagnait le chauffeur Odilon, et leur faisait un cours d'histoire de France. Que l'on eût aimé à entendre une leçon sur Saint-André-des-Champs, faite par le créateur de cette église imaginaire aux figures mêmes du portail!

Céleste ne se couchait jamais avant sept heures du matin, car Proust, qui travaillait toute la nuit, exigeait qu'on répondît immédiatement à son coup de

Marcel Proust. (Photo H. Martinie.)

sonnette. A l'aube, il prenait son véronal, puis dormait de sept heures du matin à trois heures de l'après-midi. Parfois, il forçait la dose et dormait deux, trois jours de suite. Au réveil, il mettait quelque temps à retrouver, à force d'essence de café, sa lucidité. Vers le soir, il était de nouveau brillant. Parfois, Vaudoyer, Morand, Cocteau venaient à lui. Ayant écrit un bel article sur Proust, Mauriac fut invité à dîner rue Hamelin.

La veille, il reçut un coup de téléphone : « Monsieur Marcel Proust désirerait savoir si, durant le repas, Monsieur François Mauriac serait heureux d'entendre le Quatuor Capet ou s'il préfère dîner avec le comte et la comtesse de X... ? » L'humilité survivait à l'obscurité et, même illustre, Proust ne pouvait croire que sa seule personne suffît pour exercer un attrait incomparable.

Mauriac a décrit cette chambre sinistre, « cet âtre noir, ce lit où le pardessus servait de couverture, ce masque cireux à travers lequel on eût dit que notre hôte nous regardait manger, et dont les cheveux seuls paraissaient vivants. Pour lui, il ne participait plus aux nourritures de ce monde.... » Peu à peu, « il coupait les dernières amarres ».

Il savait maintenant qu'un écrivain, avant tout autre devoir, a celui de vivre pour son œuvre; que l'amitié, par le temps qu'elle fait perdre, devient une dispense de ce devoir, une abdication de soi; que la conversation est « une divagation superficielle qui ne nous donne rien à acquérir ». L'inspiration, la pensée profonde, le « choc spirituel » ne sont possibles que dans la solitude. L'amour même est moins dangereux que l'amitié, parce qu'étant subjectif il ne nous détourne pas de nous-mêmes.

De 1920 à 1922, ce grand malade fournit un travail prodigieux. Il avait cessé depuis longtemps d'être un amateur, c'est-à-dire un homme pour qui « la recherche du beau n'est pas de métier », état dangereux, et il était devenu ce que doit être l'écrivain : un artisan.

Son travail était, à ses yeux, une course contre la mort : « Vous verrez que vous me donnerez mes épreuves quand je ne pourrai plus les corriger.... » Il aurait voulu que Gallimard confiât ses livres à quatre imprimeurs différents, pour qu'il pût au moins relire le tout avant de mourir. Était-il donc plus malade? Les autres en doutaient; ses amis avaient pris

" Depuis 1913, Céleste Albaret gouvernait l'intérieur de Proust... "

Odilon Albaret, mari de Céleste, dont le taxi était entièrement au service de M. Proust. (Photo René Jacques.)

l'habitude de ses plaintes, de ses souffrances, et pensaient qu'il serait l'un de ces valétudinaires qui finissent par mourir centenaires, mais lui, fils de médecin, observait en lui-même des changements inquiétants. Il avait parfois, comme sa mère mourante, de l'aphasie; les mots lui échappaient; des vertiges l'empêchaient de se lever.

Un jour de 1921, il écrivit à Jean-Louis Vaudoyer : « Je ne me suis pas couché pour aller voir ce matin Vermeer et Ingres. Voulez-vous y conduire le mort que je suis et qui s'appuiera à votre bras ?... » Pendant cette visite de l'exposition des Maîtres hollandais, au Jeu de Paume, il eut un malaise qu'il attribua à des pommes de terre mal digérées et qui lui inspira l'épisode, si beau, de la mort de Bergotte.

Ainsi, entre l'œuvre et la vie, le cordon ombilical n'était pas coupé. Un mot, une expression, un geste, cueillis sur le bord de la route, par l'homme qui achevait avec tant de peine, en se traînant, en suffoquant, son pèlerinage terrestre, servaient encore à nourrir le monstre.

Parfois, il suscitait les impressions dont il avait besoin. Un soir, il fit venir rue Hamelin, pour y jouer pendant la nuit, pour lui seul, le Quatuor Capet. Il voulait entendre le quatuor de Debussy qui l'aiderait, de manière indirecte, à compléter le Septuor de Vinteuil. Il avait hésité à inviter des gens, puis avait dit à Céleste : « Au fait, non ! s'il y avait d'autres auditeurs, je serais obligé d'être poli et je n'écouterais pas bien.... J'ai besoin d'impressions toutes pures pour mon livre.... » Pendant que les musiciens jouaient, il resta étendu sur un canapé, les yeux fermés, cherchant, avec la musique, quelque mystique communion, comme jadis avec les roses de Reynaldo.

Il sortait de moins en moins, mais jamais sa réclusion, sauf en période de crise, ne fut totale. On le voyait encore au Ritz, seul, soupant dans un salon éteint, entouré de serviteurs auxquels il apprenait à manœuvrer les commutateurs dont il connaissait tous les emplacements. Boylesve, qui le rencontra à la réunion du jury des bourses Blumenthal, crut voir un fantôme, une interprétation humaine du *Corbeau* d'Edgar Poe.

Notes de Marcel Proust pour **“ A la recherche du temps perdu ”. (Photo Hachette.)**

Le petit chemin bordé d'aubépines à Illiers.

DERNIERS MOIS

VERS la fin du printemps de 1922, il assista encore à une soirée chez la comtesse Marguerite de Mun, dont il aimait l'esprit et la naturelle gentillesse. Là il rencontra, pour la dernière fois, l'amie de son enfance et de son adolescence : Jeanne Pouquet (veuve de Gaston de Caillavet, celle-ci avait épousé en secondes noces son propre cousin). Après avoir salué quelques personnes, répandu par-ci par-là quelques protestations de tendresse et d'admiration (« Il était une merveilleuse source de compliments et de moqueries », disait Barrès), il vint s'asseoir à côté d'elle, et n'ayant plus alors aucune raison de feindre ou d'encenser, il se laissa aller, sur toute l'assistance, à des jugements comiques, à des observations aiguës, à de profondes remarques, à des considérations de la plus hautaine philosophie.

« Ce soir-là, il était très gai et semblait en meilleure santé. Cependant, quand tous les invités s'en allèrent, il pria Mme Pouquet de rester encore un peu avec lui, de ne pas le quitter si tôt. Mais il était tard et elle refusa, étant fatiguée. Alors le visage de Marcel prit une expression indéfinissable de douceur, d'ironie et de tristesse.

« — C'est bien, madame, adieu.

« — Mais non, mon petit Marcel, au revoir.

« — Non, madame, adieu ! Je ne vous verrai plus.... Vous me trouvez bonne « mine ? Mais je suis mourant, madame, mourant. Bonne mine ? Ah ! ah ! ah ! « c'est trop drôle !... (Son rire sonnait faux et faisait mal.) Je n'irai plus jamais « dans le monde. Cette soirée m'a harassé. Adieu, madame.

« — Mais, mon cher Marcel, je peux très bien aller chez vous un jour prochain, « ou même un soir.

« — Non, non, madame, ne venez pas ! Ne soyez pas froissée de mon refus. « Vous êtes gentille. Je suis touché, mais je ne veux plus recevoir mes amis. J'ai « un travail pressé à finir. Oh ! oui, *très pressé....* »

Si pressé, qu'il se sentait, de toutes ses minutes, comptable à son œuvre. Lorsque Jacques Rivière lui demanda, pour la *Nouvelle Revue Française*, un article sur Dostoïevski, il refusa : « J'admire passionnément le grand Russe, mais je le connais imparfaitement. Il faudrait le lire, le relire, et mon ouvrage serait interrompu pour des mois. Je ne puis que répondre comme le prophète Néhémie (je crois), monté sur son échelle et qu'on appelait, pour je ne sais plus quoi : *Non possum descendere, magnum opus facio....* »

« Je ne puis descendre... je fais une grande œuvre.... » Il éprouvait alors une constante angoisse. Depuis près de vingt ans, il luttait avec les images et les mots, pour exprimer certaines pensées qui devaient le délivrer et, en même temps, libérer des âmes fraternelles. Il touchait presque au but, mais il fallait que tout fût dit avant la mort. « J'étais décidé à y consacrer mes forces, qui s'en allaient comme à regret, et comme pour me laisser le temps d'avoir, tout le pourtour terminé, fermé la porte funéraire.... »

En juin 1922, Lucien Daudet, qui, avant de quitter Paris, alla lui dire au revoir, le trouva plus pâle encore que d'habitude; un profond cerne noir entourait ses yeux. Lucien Daudet était gêné par le sentiment qu'il se trouvait en présence d'un très grand homme et n'osait pas le lui dire. Marcel essayait de garder le tendre accent et l'humilité de jadis. Puis ils parlèrent d'un de ses nouveaux amis et de l'antipathie profonde qu'il y avait entre celui-là et les anciens. « Les sympathies et les antipathies ne sont pas transmissibles, dit mélancoliquement Proust, c'est la grande tristesse des amitiés et des relations.... » Il y avait longtemps qu'il avait écrit que l'amitié est plus décevante encore que l'amour. « En le quittant, écrit Daudet, le passé me serra la gorge.... Je voulus l'embrasser; il se recula un peu dans son lit et me dit : « Non, ne m'embrasse pas, je ne suis pas rasé.... » Alors je lui pris vivement la main gauche et la baisai. Je vois, dans le cadre de la porte, son regard fixé sur moi.... »

Au cours de l'été, son état de santé empira. Quelqu'un ayant eu la folie de lui dire que l'esprit fonctionne mieux à jeun, il refusait de manger pour que *La Prisonnière* fût digne des tomes précédents. Il y a du sublime dans ce sacrifice d'un

VUE DE DELFT, PAR VERMEER. (MAURITSHUIS, LA HAYE.)

Mme de Caillavet, née Jeanne Pouquet.

corps mortel à une œuvre immortelle, dans cette transfusion où le donneur choisit délibérément d'abréger ses jours pour que vivent les personnages qui tiennent de lui tout leur sang.

A des amis, il écrivait qu'il allait partir définitivement. « Et ce sera alors, réellement, le *Temps retrouvé* », ajoutait-il.

En octobre 1922, étant sorti la nuit par temps de brouillard, pour aller chez les Étienne de Beaumont, il prit froid, et une bronchite se déclara. Au début, cette maladie ne semblait pas grave, mais il refusait de se laisser soigner. Il ne permit même pas que l'on chauffât sa chambre, parce que le calorifère lui donnait des suffocations. Céleste, impuissante, à laquelle il interdisait d'appeler le médecin, le jugea bientôt beaucoup plus malade que d'habitude, mais il s'obstinait stoïquement à remanier, toutes les nuits, *Albertine disparue.* Enfin, vers le 15 octobre, comme la fièvre le gênait pour son travail, il consentit à voir son médecin habituel, le docteur Bize. Celui-ci dit que ce n'était pas alarmant, mais que Proust devrait se reposer et surtout s'alimenter. Marcel se souvint de sa mère, qui l'avait toujours soigné mieux que les médecins et qui, elle, croyait à la diète. Il soutint que toute nourriture ferait encore monter sa température et l'empêcherait de continuer son travail. « Céleste, la Mort me poursuit, disait-il. Je n'aurai pas le temps de renvoyer mes épreuves, et Gallimard les attend.... »

« Il était très faible, raconte Céleste, et continuait à refuser de manger. La seule chose qu'il supportait, c'était de la bière glacée, qu'Odilon devait aller chercher au Ritz. Comme il étouffait, il m'appelait tout le temps. « Céleste, me disait-il, « cette fois je vais mourir. Pourvu que j'aie le temps de finir mon travail!... Céleste, « promettez-moi que si les médecins, quand je n'aurai plus la force de m'y opposer, « veulent me faire de ces piqûres qui prolongent les souffrances, vous les en empê- « cherez.... » Il me le fit jurer. Avec moi, il restait gentil et doux, mais, avec les médecins, si obstiné que le docteur Bize alla prévenir M. Robert. Le professeur vint chez nous et supplia son frère de se laisser soigner, au besoin dans une maison de santé. M. Marcel se mit dans une grande colère; il ne voulait pas sortir de sa chambre, ni avoir d'autre infirmière que moi. Quand les deux médecins furent partis, il me sonna : « Céleste, je ne veux plus voir le docteur Bize, ni mon « frère, ni mes amis, ni personne. Je défends que l'on m'empêche de travailler. « Restez seule à côté de ma chambre, veillez, et n'oubliez jamais ce que je vous ai « dit pour les piqûres ! » En disant cela, il me regardait d'un air terrible. Il ajouta même que, si je lui désobéissais, il reviendrait pour me tourmenter. Mais il m'ordonna d'envoyer une corbeille de fleurs au docteur Bize. Cela avait toujours été sa manière de demander pardon, quand il était obligé de faire de la peine à quelqu'un. « Eh « bien! Céleste, voilà encore un point de réglé si je meurs », dit-il quand je lui annonçai que la corbeille était partie. » Cette suprême offrande, florale et funèbre, au dieu de la médecine, fait penser au dernier mot de Socrate agonisant : « N'oubliez pas que nous devons un coq à Esculape. » Et comme Socrate, dans sa prison, faisait venir une joueuse de lyre afin de s'instruire encore avant de mourir, Marcel Proust, se sachant condamné par un juge aussi impitoyable que ceux d'Athènes, s'entourait sur son lit de mort de livres, de « paperoles », d'épreuves, et faisait les ultimes retouches au texte qui lui survivrait.

« Le 17 novembre, il se crut beaucoup mieux. Il reçut son frère un long moment et dit à Céleste : « Il reste à savoir si je pourrai passer ces cinq jours.... » Il était souriant et continua : « Si, comme les docteurs, vous désirez que je mange, faites-« moi une sole frite; je suis sûr que cela ne me fera pas de bien, mais je veux vous « faire plaisir. » Le professeur Proust estima sage d'interdire le plaisir de cette sole, et Marcel reconnut que cette décision était fondée. Après une nouvelle conversation avec son frère, il lui dit qu'il allait passer la nuit à bien travailler et garderait Céleste auprès de lui, pour le seconder. Le courage du malade était sublime; il se remit à la correction de ses épreuves et joignit quelques notes à son texte. Vers trois heures du matin, épuisé, suffoquant, il fit approcher Céleste et dicta longuement.... « Céleste, dit-il, je crois que c'est très bien, ce que je viens de vous faire écrire.... « Je m'arrête. Je n'en puis plus.... » Plus tard, il murmura : « Cette nuit dira si les « médecins ont eu raison contre moi, ou si j'avais eu raison contre les médecins. »

« Vers dix heures, le lendemain, Marcel réclama un peu de cette bière fraîche qu'il envoyait chercher au Ritz. Albaret partit aussitôt, et Marcel murmura à Céleste qu'il en serait de la bière comme du reste, que tout arriverait trop tard. Il avait grand-peine à respirer. Céleste ne pouvait détacher les yeux du visage exsangue où la barbe avait poussé et accentuait la pâleur des traits. Il était d'une maigreur extrême; ses yeux avaient une intensité telle que son regard semblait pénétrer l'invisible. Debout à côté de son lit, Céleste, se tenant à peine (elle ne s'était pas couchée depuis sept semaines)..., suivait chacun de ses mouvements, essayant de deviner et de prévenir le moindre de ses désirs. Brusquement, Marcel étendit un bras hors du lit; il lui semblait voir dans sa chambre une hideuse grosse femme : « Céleste! Céleste! Elle est très grosse et très noire; elle est tout en noir! J'en ai « peur.... » Le professeur Proust, prévenu à son hôpital, accourut en toute hâte. Le docteur Bize arriva également. Céleste, désespérée d'enfreindre les ordres de

Le boulevard des Italiens et le Vaudeville vers 1900. (Documentation Hachette.)

Marcel, assistait à l'arrivée du cortège des médicaments, des ballons d'oxygène, des seringues pour les piqûres.... Les yeux du malade eurent une expression d'irritation lorsque le docteur Bize pénétra dans la chambre. Marcel, qui se montrait habituellement d'une si exquise politesse, ne lui dit pas bonjour et, pour bien marquer son mécontentement, se tourna vers Albaret, qui arrivait avec la bière commandée. « Merci, mon cher Odilon, dit-il, d'être allé me chercher cette bière. » Le docteur se pencha vers le malade pour lui faire une piqûre; Céleste l'aidait à écarter les draps; elle entendit : « Ah ! Céleste, pourquoi ? » et sentit la main de Marcel s'appuyer sur son bras, le pincer, pour protester encore.

« Maintenant on s'empressait autour de lui. Tout fut tenté; il était trop tard, hélas! les ventouses ne prenaient plus. Avec des précautions infinies, le professeur Proust souleva Marcel sur ses oreillers : « Je te remue beaucoup, mon cher petit, « je te fais souffrir ? » Et, dans un souffle, Marcel prononça ses dernières paroles : « Oh! oui, mon cher Robert! » Il s'éteignit vers quatre heures, doucement, sans un mouvement, les yeux grands ouverts.... »

Ses amis, ce soir-là, s'appelèrent les uns les autres au téléphone, pour parler

Marcel Proust sur son lit de mort, croquis par Dunoyer de Segonzac. (Arch. photographiques.)

sur son
ouvenir de l'affection que vous aviez pour lui.

avec tristesse, et presque avec incrédulité, de cette bouleversante nouvelle : « Marcel est mort. » Quelques-uns allèrent le voir, sur son lit funèbre. A cette chambre garnie, banale, l'admirable visage immobile, exsangue, émacié comme un personnage du Greco, communiquait une indicible grandeur. « Son masque creux et maigri, noirci par une barbe de malade, baignait dans les ombres verdâtres que quelques peintres espagnols ont répandues autour de la face de leurs cadavres. » Un gros bouquet de violettes de Parme était sur sa poitrine. « Nous avons vu, dit Mauriac, sur une enveloppe souillée de tisane, les derniers mots illisibles qu'il ait tracés et où, seul, était déchiffrable le nom de *Forcheville :* ainsi, jusqu'à la fin, ses créatures se sont nourries de sa substance, auront épuisé ce qui lui restait de vie.... » On comprenait soudain, devant la pauvreté du décor où venait de mourir cet homme comblé de tous les dons, le sens et le sérieux de l'ascétisme qu'il avait fini par s'imposer. « On avait tout d'un coup l'impression, écrit Jaloux, qu'il était très loin de nous, non seulement parce qu'il était mort, mais parce qu'il avait vécu d'une vie profondément différente; parce que le monde de recherches, d'imagination et de sensibilité où il avait vécu n'était pas le nôtre; parce qu'il avait souffert de maux étranges et que son esprit avait eu besoin, pour s'alimenter, de douleurs exceptionnelles et de méditations peu familières à l'homme.... »

« Sur son lit de mort, on ne lui eût pas donné cinquante ans, mais à peine trente, comme si le Temps n'eût pas osé toucher celui qui l'avait dompté et conquis.... » Il avait l'air d'un adolescent éternel. A l'enterrement, en sortant de Saint-Pierre-de-Chaillot, Barrès, coiffé de son melon, le parapluie accroché à l'avant-bras, rencontra Mauriac. « Enfin, ouais..., dit-il, c'était notre jeune homme. » C'était surtout, et c'est encore, notre grand homme. Barrès, un peu plus tard, sut le reconnaître : « Ah! Proust! gentil compagnon, quel phénomène vous étiez! Et moi, quelle désinvolture à vous juger! »

Il est impossible, lorsqu'on en arrive à ce moment où s'achève la vie terrestre et tourmentée de Marcel Proust, et où commence sa vie glorieuse, de ne pas citer la dernière phrase du récit que lui-même a fait de la mort de Bergotte :

« On l'enterra, mais, toute la nuit funèbre, aux vitrines éclairées, ses livres disposés trois par trois veillaient comme des anges aux ailes éployées et semblaient, pour celui qui n'était plus, le symbole de sa résurrection.... »

Au commencement avait été Illiers, une petite ville aux confins de la Beauce et du Perche, où quelques Français se serraient autour d'une vieille église encapuchonnée sous son clocher; où un enfant nerveux et sensible lisait, les beaux après-midi du dimanche, sous les marronniers du jardin, *François le Champi* ou le *Moulin sur la Floss ;* où il entrevoyait, à travers une haie d'aubépines roses, des allées bordées de jasmins, de pensées et de verveines, et restait là, immobile, à regarder, à respirer, à tâcher d'aller avec sa pensée au-delà de l'image ou de l'odeur. « Certes, quand ils étaient longuement contemplés par cet humble passant, par cet enfant qui rêvait, ce coin de nature, ce bout de jardin n'eussent pu penser que ce serait grâce à lui qu'ils seraient appelés à survivre en leurs particularités les plus éphémères », et pourtant c'est son exaltation qui a porté jusqu'à nous le parfum de ces aubépines mortes depuis tant d'années, et qui a permis à tant d'hommes et de femmes, qui n'ont jamais vu et ne verront jamais la France, de respirer en extase, à travers le bruit de la pluie qui tombe, l'odeur d'invisibles et persistants lilas. Au commencement était Illiers, un bourg de deux mille habitants, mais à la fin était Combray, patrie spirituelle de millions de lecteurs, dispersés aujourd'hui sur tous les continents et qui demain s'aligneront au long des siècles — dans le Temps.

" *Au commencement était Illiers...* " (Photo M. Gérard Mante.)

Grâce à l'aimable collaboration de Mme Gérard Mante, nous pouvons publier dans cet ouvrage des documents personnels concernant la vie de Marcel Proust et nous tenons à l'en remercier vivement.

TABLE DES MATIÈRES

D. L. N° 2459 - IVe trim. 1960
1-12-60 - I. 3325

Imprimé en France
par DRAEGER, Paris